KB099347

Longman

GRAMMAR
HOUSE
초등영문법

Longman
GRAMMAR HOUSE 초등영문법 4

지은이 교재개발연구소
편집 및 기획 English Nine
발행처 Pearson Education South Asia Pte Ltd.
판매처 inkedu(inkbooks)
전화 02-455-9620(주문 및 고객지원)
팩스 02-455-9619
등록 제13-579호

ISBN 978-11-88228-52-2 (63740)

잘못된 책은 구입처에서 바꿔 드립니다.

Longman

GRAMMAR HOUSE

초등영문법

GRAMMAR HOUSE 초등영문법 시리즈는
총 6권으로 영어 문법을 처음 시작하는 초등학생들이 초등영문법을
완전 마스터할 수 있게 구성되어 있습니다.
간략하고 쉬운 문법 설명과 반복되는 문제들을 풀다보면
어느새 문법이 친근하게 느껴집니다.

GRAMMAR HOUSE 1

- 명사
- 명사의 복수형
- 인칭대명사 I
- be동사
- 형용사 I
- be동사 부정문
- be동사 의문문
- 지시대명사
- 일반동사
- 일반동사의 변화
- 일반동사 부정문
- 일반동사 의문문
- can의 쓰임
- be going to의 쓰임
- 지시형용사
- 인칭대명사 II
- 초등 2~4학년

GRAMMAR HOUSE 2

- 셀 수 없는 명사
- 정관사
- There is / There are
- There is / There are – 부정문과 의문문
- 형용사 II
- 부사
- 기수와 서수
- 수 읽기
- be동사 과거형
- 일반동사 과거형
- 일반동사 과거형 – 부정문 / 의문문
- 명령문
- 시간 전치사
- 장소 / 위치 전치사
- 의문사와 의문문 I
- 의문사와 의문문 II
- 초등 2~4학년

GRAMMAR HOUSE 3

- 셀 수 없는 명사의 수량 표시
- some / any
- many / much / a lot of와 a few / a little
- 인칭대명사 III – 소유격 / 소유대명사
- 현재진행형
- 현재진행형 – 부정문 / 의문문
- 과거진행형
- it의 다양한 쓰임
- 방향 전치사
- 빈도부사
- 접속사 I
- How + 형용사 / 부사
- 조동사 will
- must와 have to
- 조동사 can
- 감탄문
- 초등 3~5학년

GRAMMAR HOUSE 4

- 시각 / 분수 읽기
- 전치사 I
- 접속사 II
- 부가의문문
- 조동사 may
- must / can't / will be able to
- 비교급
- 최상급
- What / Which
- Why / Where / When
- Who / Whose / How
- Who / What 주어 역할
- 동사의 쓰임
- 감각동사
- 수여동사
- 동명사 / 진행형
- 초등 3~5학년

GRAMMAR HOUSE 5

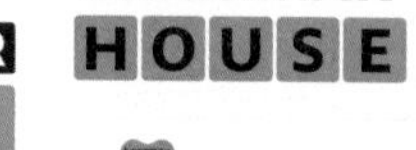

- 재귀대명사
- 부정대명사 I
- 부정대명사 II
- 부정대명사 III
- 동명사
- to부정사
- 동사 + 동명사 / 동사 + to부정사
- 제안 / 권유 표현
- 현재분사
- 과거분사
- 수동태 I
- 수동태의 부정문과 의문문
- 조동사 – would like to / had better
- 의문사 + 조동사로 묻고 대답하기
- 전치사 II
- 접속사 III
- 초등 4~6학년

GRAMMAR HOUSE 6

- 문장의 5형식 I – 1형식 / 2형식 문장
- 문장의 5형식 II – 3형식 / 4형식 문장
- 문장의 5형식 III – 5형식 문장
- by 이외의 수동태
- to부정사의 용법 I – 명사 / 형용사 역할
- to부정사의 용법 II – 부사 역할
- to부정사와 동명사
- 동명사와 현재분사
- 현재완료 I – 완료 / 결과
- 현재완료 II – 경험 / 계속
- 현재완료 III – 부정문 / 의문문
- 현재완료시제와 과거시제
- 관계대명사
- 주격 관계대명사
- 목적격 관계대명사
- 관계대명사 what과 that
- 초등 5~중 1학년

Contents

Chapter 01 시각/분수 읽기

1 시각 읽기

시각은 기수를 이용해 '시간 → 분'의 순서로 읽는 것이 원칙이나, 분을 먼저 읽는 경우도 있습니다.

2시 50분 = two fifty

5시 15분 = five fifteen

8시 43분 = eight forty-three

*** to를 이용한 표현**

시각이 '2시 50분'일 경우 '3시 10분 전'이라고도 말할 수 있습니다. 이때에는 to를 사용하며 '분'을 먼저 읽고 '시간'을 읽습니다.

ten to three (3시 10분 전)

five to five (5시 5분 전)

a quarter to ten (10시 15분 전)

*** after/past를 이용한 표현**

시각이 '2시 10분'일 경우 'two ten'이라고 읽는 대신에 after나 past를 이용하여 ten after[past] two(2시에서 10분 지났다)라고 말할 수 있습니다. 이때에도 '분'을 먼저 읽습니다.

ten after three (3시 10분)
(*3시에서 10분 지났다)

five after four (4시 5분)
(*4시에서 5분 지났다)

a quarter after ten (10시 15분)
(*10시에서 15분 지났다)

Tips 15분 = a quarter / 30분 = a half / o'clock = 정각 It's three o'clock. 3시 정각이다.

2 분수 읽기

분수는 '분자 → 분모'의 순서로 읽으며, 분자는 기수, 분모는 서수로 읽습니다.

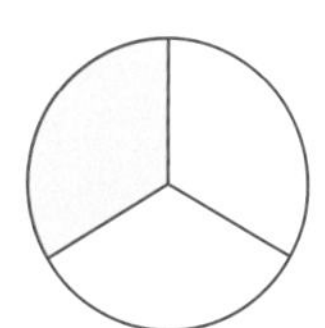

$\frac{1}{3}$ = one-third / a third

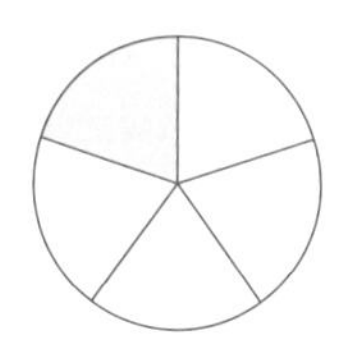

$\frac{1}{5}$ = one-fifth / a fifth

Tips 1/2과 1/4은 다음과 같이 읽습니다.
1/2 = a half / one-half 1/4 = a quarter / a fourth / one-quarter / one-fourth

* 분자가 2 이상일 때는 분모에 -s를 붙입니다.

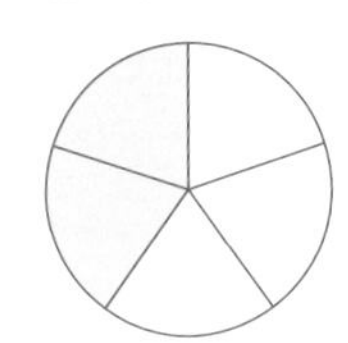

$\frac{2}{5}$ = two-fifths

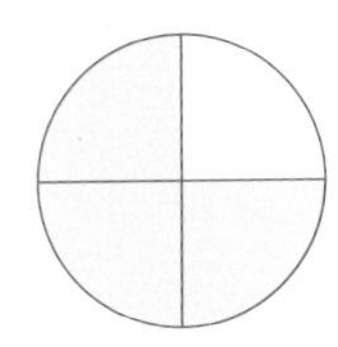

$\frac{3}{4}$ = three-fourths / three-quarters

시각은 기수를 이용해 '시간 → 분'의 순서로 읽습니다.

1 다음 괄호 안에서 알맞은 것을 고르세요.

01 4시 50분 ⟶ (ten to five / four fifteen)

02 4시 40분 ⟶ (twenty to five / four to forty)

03 $\frac{2}{5}$ ⟶ (two-fifth / two-fifths)

04 $\frac{3}{4}$ ⟶ (three-fourth / three-quarters)

05 11시 45분 ⟶ (a quarter past twelve / a quarter to twelve)

06 6시 30분 ⟶ (a half to six / six thirty)

07 5시 25분 ⟶ (five twenty-five / twenty-five to six)

08 $\frac{1}{4}$ ⟶ (one-quarter / one-quarters)

09 $\frac{1}{2}$ ⟶ (a half / one-second)

10 9시 15분 ⟶ (a quarter past nine / a quarter to nine)

11 8시 45분 ⟶ (a quarter to nine / a quarter past eight)

12 $\frac{4}{6}$ ⟶ (four six / four-sixths)

13 12시 정각 ⟶ (twelve o'clock / twelve zero)

WORDS

to ~을 향해 **fifteen** 15 **fourth** 4번째 **quarter** 분기, $\frac{1}{4}$ **twelve** 12 **o'clock** ~시

Guide

분수는 '분자 → 분모'의 순서로 읽으며, 분자는 기수, 분모는 서수로 읽습니다.

1 다음 그림과 일치하도록 영어로 쓰세요.

01 → ten fifteen / fifteen after[past] ten

02 → ______

03 → ______

04 07:25 → ______

05 → ______

06 → ______

07 → ______

08 → ______

09 10:12 → ______

10 → ______

WORDS

ten 10 fifteen 15 after ~후에 past ~을 지나서 to ~을 향해 quarter 분기, $\frac{1}{4}$ half 반, 절반

Guide

시각은 to/after[past]를 써서 표현할 수 있습니다. 

1 다음 영어를 시각이나 분수로 쓰세요.

01 ten sixteen → 10:16

02 a quarter to nine → ____________

03 ten to six → ____________

04 four-fifths → ____________

05 two-ninths → ____________

06 a quarter → ____________

07 ten thirteen → ____________

08 five-sixths → ____________

09 seven thirty → ____________

10 three to ten → ____________

11 a half past eleven → ____________

12 seven-tenths → ____________

13 a half → ____________

14 six after two → ____________

15 two-fourths → ____________

WORDS

sixteen 16 **quarter** 분기, $\frac{1}{4}$ **to** ~을 향해 **six** 6 **fifth** 5번째 **two** 2 **ninth** 9번째 **thirteen** 13 **thirty** 30 **half** 반, 절반 **past** ~을 지나서 **eleven** 11 **seven** 7 **tenth** 10번째

Chapter 02 전치사 I

1 전치사의 의미와 쓰임

전치사란 '앞에 위치하는 품사'라는 뜻으로 명사 앞에 위치합니다. 전치사는 혼자서는 쓰일 수가 없으며, 뒤에 오는 명사의 의미를 보다 자세히 설명하는 역할을 합니다. 전치사는 역할에 따라 시간 전치사, 장소 전치사, 방향/위치 전치사 등으로 구별할 수 있습니다.

2 시간 전치사

until	~까지 (계속)	The rain will continue **until** tomorrow. 그 비는 내일까지 계속될 것이다. ※ 지금 비가 내리고 있으며, 내일까지 계속 내릴 것임. You must study **until** 9. 너는 9시까지 (계속) 공부해야 한다. – 계속의 의미
by	~까지 (완료)	I will finish my homework **by** tomorrow. 나는 내일까지 숙제를 마칠 것이다. ※ 지금 숙제를 하고 있는지 알 수 없음. – 내일까지 숙제는 끝낼 예정임. You must come back home **by** 9. 너는 9시까지 집에 돌아와야 한다. – 완료의 의미

Tips 해석을 할 때, 동사의 의미 앞에 '계속'이라는 말을 넣어 표현이 자연스러우면 until, 자연스럽지 않으면 by를 선택합니다.
She will work until 5 o'clock. 그녀는 5시까지 (계속) 일할 것이다. (→ 자연스러움)
She will finish her homework by 5 o'clock. 그녀는 5시까지 숙제를 (계속) 끝낼 것이다. (→ 자연스럽지 않음)

3 방향/위치 전치사

across	~을 가로질러 ~ 맞은편에	I walked **across** the street. 나는 길을 가로질러 걸었다. The café is **across** the street. 카페는 길 맞은편에 있다.
between	~ 사이에	There is a tree **between** the walls. 담 사이에 나무가 있다.
over (닿지 않고)	~ 위에, 너머에	There is a bridge **over** the river. 강 위에 다리가 있다.
around	~ 주변에 ~ 주위에	We sat **around** the campfire. 우리는 모닥불 주변에 앉았다.
through	~을 통해서 ~을 지나서	This train goes **through** an underground tunnel. 이 기차는 지하 터널을 통해서 간다.
from A(장소/시간) **to** B(장소/시간)	A에서 B까지	They traveled **from** Paris **to** London. 그들은 파리에서 런던까지 여행했다. I watch TV **from** 8 p.m. **to** 10 p.m. 나는 오후 8시부터 10시까지 TV를 본다.
to + 도착지	~까지, ~로	They will go **to** the library. 그들은 도서관에 갈 것이다.

Tips between 다음에는 복수형 명사가 와야 합니다. 그리고 [between A and B](A와 B 사이)의 형태로 쓸 수 있으며 이 경우에는 단수형 명사를 사용할 수 있습니다.
There is a tree between my house and her house. 나의 집과 그녀의 집 사이에 나무가 있다.

Tips across와 through의 차이
across는 보통 평평한 지역을 가로지르거나 물에서의 이동을 이야기할 때 사용하며, through는 '관통해서 지나가다'라는 뜻으로 공간에서의 움직임 즉 주변이 둘러 싸여져 있는 내부를 관통해서 지나가는 것을 표현할 때 사용합니다.

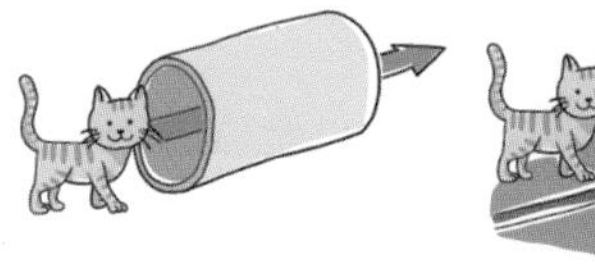

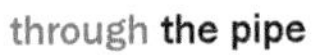

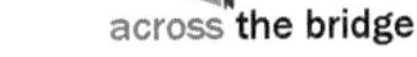

Guide

전치사는 뒤에 오는 명사를 보다 자세히 설명하는 역할을 합니다.

1 다음 우리말과 일치하도록 괄호 안에서 알맞은 것을 고르세요.

01 Can you swim (across / from) the river?
너는 강을 가로질러 수영할 수 있니?

02 The store opens (from / to) 9 a.m. (from / to) 8 p.m.
그 상점은 오전 9시부터 오후 8시까지 운영한다.

03 A plane is flying (to / over) the mountain.
비행기가 산 위로 날고 있다.

04 This train goes (through / until) a very long tunnel.
이 기차는 매우 긴 터널을 통과해서 간다.

05 We all sat (around / through) the table.
우리 모두는 식탁 주의에 앉았다.

06 There is a cat (between / from) Mike and Joe.
마이크와 조 사이에 고양이가 있다.

07 It will be sunny (until / by) tomorrow.
내일까지 날씨가 맑을 것이다.

08 You have to arrive here (until / by) 10 p.m.
너는 오후 10시까지 이곳에 도착해야 한다.

09 She went (through / to) the beach this morning.
그녀는 오늘 아침에 해변에 갔다.

10 It's an hour's journey (from / through) home to the airport.
집에서 공항까지 1시간 걸린다.

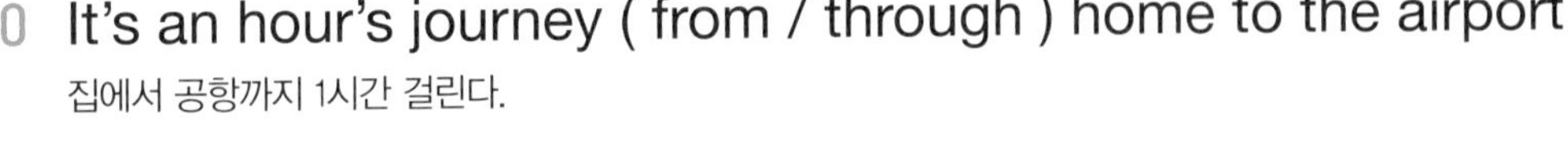

WORDS
swim 수영하다 **river** 강 **store** 상점 **open** 열다 **plane** 비행기 **mountain** 산 **tunnel** 터널 **tomorrow** 내일 **arrive** 도착하다 **beach** 해변 **journey** 여정, 길 **airport** 공항

Guide

시간 전치사에는 until, by 등이 있습니다.

1 다음 우리말과 일치하도록 빈칸에 알맞은 전치사를 쓰세요.

01 I sent an email ___to___ Alice yesterday.
나는 어제 앨리스에게 이메일을 보냈다.

02 There was a fight ________ Joe and Sam.
조와 샘 사이에 싸움이 있었다.

03 John and I went ________ the movies last night.
존과 나는 어젯밤에 영화 보러 갔다.

04 I will wait for her ________ 9 p.m.
나는 그녀를 오후 9시까지 기다릴 것이다.

05 Can you fix the computer ________ tomorrow?
너는 내일까지 컴퓨터를 고칠 수 있니?

06 Put this soap ________ your hands.
이 비누를 너의 손 사이에 넣어라.

07 She waited for her sister from three ________ five.
그녀는 여동생을 3시부터 5시까지 기다렸다.

08 There are big trees ________ the park.
공원 주위에 큰 나무들이 있다.

09 She is sitting ________ Cathy ________ Tommy.
그녀는 캐시와 토미 사이에 앉아 있다.

10 A butterfly is flying ________ her head.
나비가 그녀의 머리 위로 날아가고 있다.

11 She's walking ________ the bridge.
그녀는 다리를 가로질러 걷고 있다.

12 They walked ________ here ________ the park.
그들은 여기서부터 공원까지 걸었다.

WORDS

send 보내다 **email** 이메일 **yesterday** 어제 **fight** 싸움 **fix** 고치다 **soap** 비누 **hand** 손 **wait** 기다리다 **sit** 앉다 **butterfly** 나비 **head** 머리 **bridge** 다리

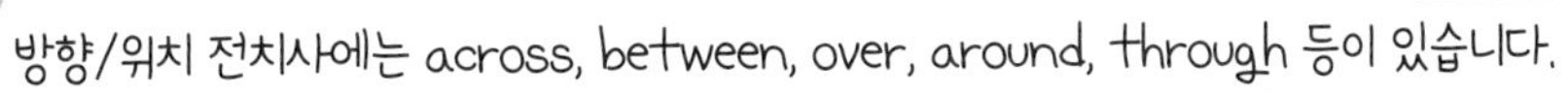

1 다음 영어를 우리말로 쓰세요.

01 My house is around the lake.
→ 나의 집은 호수 주변에 있다.

02 There is a bookstore across the post office.
→ ______________________

03 She can't finish her homework by 6 p.m.
→ ______________________

04 Alice is standing between her mom and her brother.
→ ______________________

05 I watched the movie from 9 p.m. to 11 p.m.
→ ______________________

06 There is a river between the two countries.
→ ______________________

07 The festival will continue until next Monday.
→ ______________________

08 The children are walking across the street.
→ ______________________

09 A bird is flying over the tree.
→ ______________________

10 My dad works from 9 a.m. to 5 p.m.
→ ______________________

11 They are going to walk through the forest.
→ ______________________

12 We will go to Paris next week.
→ ______________________

WORDS
lake 호수 **bookstore** 서점 **post office** 우체국 **stand** 서다 **movie** 영화 **country** 나라, 국가 **festival** 축제 **continue** 계속하다 **street** 거리 **fly** 날다 **forest** 숲 **next week** 다음 주

Chapter 03 접속사 II

1 시간을 나타내는 접속사

접속사란 말 그대로 무언가를 연결시켜 주는 단어로 단어와 단어, 문장과 문장을 연결하는 역할을 합니다. 이번 Chapter에서는 문장과 문장을 연결시켜 주는 시간 접속사에 대해 공부하겠습니다.

I take a shower. 나는 샤워를 한다. + I have breakfast. 나는 아침식사를 한다.
→ I take a shower **after** I have breakfast. 나는 아침식사 후에 샤워를 한다.
(접속사 after가 문장과 문장을 연결)

2 접속사 When, While

when은 '~할 때', '~하면', while은 '~하는 동안'으로 해석하며, 둘 다 문장을 연결하는 역할을 합니다.

when	~할 때 ~하면	Call me **when** you are free. 너가 한가할 때 내게 전화해라. I usually stay home **when** it rains. 나는 비가 오면 보통 집에 있다.
while	~하는 동안 ~하는 사이에	He washed the dishes **while** I watched TV. 그는 내가 TV를 보는 동안 설거지를 했다. He fell asleep **while** I was talking. 그는 내가 말하는 동안 잠들었다.

3 접속사 after, before, until

after	~한 후에	I take a nap **after** I have lunch. 나는 점심을 먹은 후에 낮잠을 잔다. He watched TV **after** he finished his homework. 그는 숙제를 마친 후에 TV를 봤다.
before	~하기 전에	She watched TV **before** she had dinner. 그녀는 저녁식사 전에 TV를 봤다. I get up **before** the sun rises. 나는 해가 뜨기 전에 일어난다.
until	~할 때까지	I will wait **until** you are ready. 나는 네가 준비될 때까지 기다릴 것이다. You must wait here **until[till]** he comes back. 넌 그가 돌아올 때까지 여기서 기다려야 한다.

Tips

- after, before, until은 전치사 또는 접속사로 사용될 수 있습니다. 전치사로 사용되는 경우에는 뒤에 명사가 와야 하고, 접속사로 사용되는 경우에는 뒤에 [주어+동사 ~]의 문장이 와야 합니다.
  He came back home before dinner. 그는 저녁식사 전에 집으로 돌아왔다. (전치사)
  He came back home before I had dinner. 그는 내가 저녁식사하기 전에 집으로 돌아왔다. (접속사)
- 시간 접속사는 문장 맨 앞에 올 수도 있습니다. 이때는 접속사가 있는 문장 끝에 콤마(,)를 붙여줍니다.
  When you smile, I feel happy. 네가 미소 지을 때, 나는 행복을 느낀다.
  After I have breakfast, I take a shower. 아침식사 후 나는 샤워를 한다.

접속사란 단어와 단어, 문장과 문장을 연결하는 역할을 합니다.

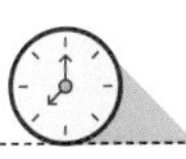

1 다음 우리말과 일치하도록 괄호 안에서 알맞은 것을 고르세요.

01 Hurry up (before / after) it gets too late.
너무 늦기 전에 서둘러라.

02 I was watching TV (when / while) my mom came in.
나는 엄마가 들어왔을 때 TV를 보고 있었다.

03 I'll tell him (when / until) he comes home.
나는 그가 집에 오면 그에게 말하겠다.

04 (When / While) she was young, she was very smart.
그녀는 어렸을 때, 아주 영리했다.

05 My dad always brushes his teeth (after / before) he finishes dinner.
나의 아빠는 저녁식사를 마친 후 항상 이를 닦는다.

06 I read a book (when / until) he came home.
나는 그가 집에 돌아왔을 때까지 책을 읽었다.

07 I washed the dishes (while / until) she was taking a walk.
나는 그녀가 산책하는 동안 설거지를 했다.

08 I will wait here (until / when) the rain stops.
나는 비가 그칠 때까지 여기서 기다릴 것이다.

09 I ate lunch (while / until) he listened to music.
나는 그가 음악을 듣는 동안 점심식사를 했다.

10 I play the piano (when / after) I have lunch.
나는 점심을 먹은 후에 피아노를 친다.

11 My mom watched TV (while / until) I was doing my homework.
나의 엄마는 내가 숙제를 하는 동안 TV를 보셨다.

12 I will wait (until / when) my sisters come home.
나는 누나들이 집에 올 때까지 기다릴 것이다.

WORDS

hurry up 서두르다 **watch** 보다 **tell** 말하다 **young** 어린 **always** 언제나 **finish** 마치다 **take a walk** 산책하다 **here** 여기 **stop** 멈추다 **ate** 먹다(eat)의 과거형 **homework** 숙제 **wait** 기다리다

접속사 when은 '~할 때', '~하면', while은 '~하는 동안'으로 해석합니다.

1 다음 우리말과 일치하도록 빈칸에 알맞은 접속사를 쓰세요.

01 I go to the park ___when___ I am free.
나는 한가할 때 공원에 간다.

02 Be quiet __________ the baby sleeps.
아기가 자는 동안 조용히 해라.

03 Please wait here __________ I call you.
제가 부를 때까지 여기에서 기다려 주세요.

04 My brother ate all the cake __________ I was taking a shower.
내 남동생이 내가 샤워를 하는 동안 케이크를 다 먹었다.

05 Do you warm-up __________ you work out?
너는 운동하기 전에 준비운동을 하니?

06 Eric takes a shower __________ he has breakfast.
에릭은 아침식사 전에 샤워를 한다.

07 He plays computer games __________ he finishes his homework.
그는 숙제를 마친 후 컴퓨터 게임을 한다.

08 My mom cooked __________ I was sleeping.
나의 엄마는 내가 자고 있는 동안 요리를 하셨다.

09 __________ he was young, he was really tall.
그가 어렸을 때 그는 매우 키가 컸다.

10 You can go swimming __________ I'm having lunch.
너는 내가 점심을 먹는 동안 수영하러 갈 수 있다.

11 I will wait here __________ the game is over.
나는 경기가 끝날 때까지 여기서 기다릴 것이다.

12 My dad came home __________ I ordered pizza.
나의 아빠가 내가 피자를 주문했을 때 집에 오셨다

WORDS

free 한가한 **quiet** 조용한 **take a shower** 샤워하다 **warm-up** 준비운동을 하다 **work out** 운동하다 **call** 전화하다 **office** 사무실 **wait** 기다리다 **be over** 끝나다 **order** 주문하다

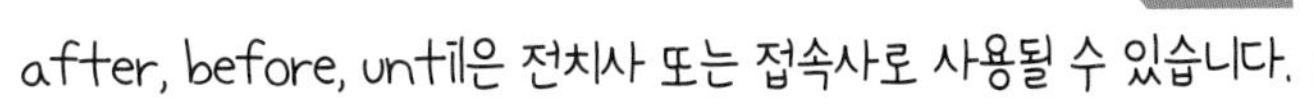

1 다음 우리말과 일치하도록 주어진 단어와 접속사를 이용하여 문장을 완성하세요.

01 나는 저녁식사 후 산책을 한다. (take a walk / have dinner)

→ I take a walk after I have dinner.

02 그는 그 소식을 들었을 때 화를 냈다. (heard the news / was upset)

→ ______

03 그녀는 비가 멈출 때까지 집에 있었다. (stayed home / the rain stopped)

→ ______

04 나는 나의 엄마가 집에 오신 후에 나갈 수가 있다. (can go out / comes home)

→ ______

05 그들은 버스가 올 때까지 책을 읽었다. (read books / the bus came)

→ ______

2 다음 빈칸에 들어갈 말을 보기에서 골라 쓰고 우리말로 해석하세요.

Before [before]	When [when]	While [while]	Until [until]

01 When she goes shopping, she feels happy. (~할 때)

→ 그녀는 쇼핑할 때, 행복함을 느낀다.

02 ______ the sun sets, come back home. (~ 전에)

→ ______

03 ______ I first saw her, I didn't like her. (~할 때)

→ ______

04 I played games ______ my mom was cleaning the house. (~ 동안)

→ ______

05 Joe read a book ______ he was sleepy. (~할 때까지)

→ ______

WORDS

take a walk 산책하다 **upset** 화난 **stay** 머무르다 **rain** 비 **go out** 나가다 **bus** 버스
happy 행복한 **set** (해 등이) 지다 **first** 처음 **clean** 청소하다 **house** 집 **sleepy** 졸린

Chapter 04 부가의문문

1 부가의문문의 의미

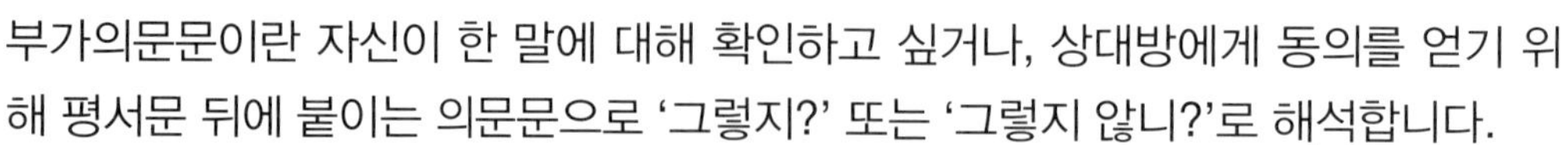

부가의문문이란 자신이 한 말에 대해 확인하고 싶거나, 상대방에게 동의를 얻기 위해 평서문 뒤에 붙이는 의문문으로 '그렇지?' 또는 '그렇지 않니?'로 해석합니다.

Your mom is a housewife, **isn't she**? 너의 엄마는 가정주부야, 그렇지 않니?

(Your mom is a housewife: 평서문 / isn't she: 부가의문문)

2 부가의문문 만드는 규칙

(1) 앞 문장이 긍정문일 때 → 부정형의 부가의문문을 쓰고 물음표를 붙입니다.
(2) 앞 문장이 부정문일 때 → 긍정형의 부가의문문을 쓰고 물음표를 붙입니다.
(3) 부정형은 축약형으로 씁니다. → isn't / don't / can't 등
(4) 부가의문문의 주어는 앞 문장의 주어를 인칭대명사(he/she/they/it...)로 바꾼 형태로 씁니다.
(5) 부가의문문의 시제는 앞 문장의 시제와 일치시킵니다.
앞 문장이 현재면 부가의문문도 현재시제로 씁니다.

3 부가의문문 만들기 - 앞 문장이 긍정문일 때

be동사가 있는 문장 (isn't / aren't / wasn't / weren't 이용)	She is a pianist, **isn't she**? 그녀는 피아니스트야, 그렇지 않니?
일반동사가 있는 문장 (don't / doesn't / didn't 이용)	Your mom works at the hospital, **doesn't she**? 너의 엄마는 병원에서 일하셔, 그렇지 않니? (인칭대명사 she 사용) She knew my name, **didn't she**? 그녀는 나의 이름을 알아, 그렇지 않니? (시제 과거로 일치)
조동사가 있는 문장 (can't / won't 이용)	He can speak English, **can't he**? 그는 영어로 말할 수 있어, 그렇지 않니?

4 부가의문문 만들기- 앞 문장이 부정문일 때

be동사가 있는 문장 (is / are / was / were 이용)	She wasn't a singer, **was she**? 그녀는 가수가 아니었어, 그렇지?
일반동사가 있는 문장 (do / does / did 이용)	Your dad doesn't like pizza, **does he**? 너의 아빠는 피자를 좋아하지 않으셔, 그렇지? (인칭대명사 he 사용) She didn't go shopping yesterday, **did she**? 그녀는 어제 쇼핑하러 가지 않았어, 그렇지? (시제 과거로 일치)
조동사가 있는 문장 (can / will 이용)	He can't speak English, **can he**? 그는 영어로 말할 수 없어, 그렇지?

Tips 명령문의 부가의문문은 긍정이든 부정이든 상관없이 will you?를 씁니다.
Do your homework, will you? 숙제를 해라, 그래 줄래?
Don't be noisy, will you? 시끄럽게 하지 마라, 그래 줄래?

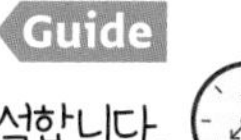

부가의문문은 평서문 뒤에 붙여서 '그렇지?' 또는 '그렇지 않니?'로 해석합니다.

1 다음 괄호 안에서 알맞은 부가의문문을 고르세요.

01 You are a doctor, (aren't you / isn't you)?
너는 의사야, 그렇지 않니?

02 You learn English at school, (don't you / are you)?
너는 학교에서 영어를 배워, 그렇지 않니?

03 It was cold yesterday, (wasn't it / didn't it)?
어제는 추웠어, 그렇지 않니?

04 He can't swim well, (can he / can't he)?
그는 수영을 잘 못해, 그렇지?

05 The room is clean, (isn't it / isn't they)?
그 방은 깨끗해, 그렇지 않니?

06 They aren't busy now, (are it / are they)?
그들은 지금 바쁘지 않아, 그렇지?

07 Susie didn't sleep well last night, (did she / did Susie)?
수지는 어젯밤 잠을 잘 못 잤어, 그렇지?

08 Jack and Tony are tall and handsome, (isn't he / aren't they)?
잭과 토니는 키가 크고 잘생겼어, 그렇지 않니?

09 His dad didn't buy a new car, (does he / did he)?
그의 아빠는 새 자동차를 사지 않으셨어, 그렇지?

10 These stories are interesting, (isn't it / aren't they)?
이 이야기들은 재미있어, 그렇지 않니?

11 This bag is so small, (isn't it / doesn't it)?
이 가방은 너무 작아, 그렇지 않니?

12 Don't cry, (would you / will you)?
울지 마라, 그래 줄래?

WORDS

doctor 의사 **learn** 배우다 **cold** 추운 **yesterday** 어제 **swim** 수영하다 **well** 잘 **clean** 깨끗한 **busy** 바쁜 **night** 밤 **handsome** 잘생긴 **story** 이야기 **interesting** 재미있는 **cry** 울다

Guide

부가의문문은 긍정문에는 부정, 부정문에는 긍정으로 씁니다.

1 다음 빈칸에 알맞은 부가의문문을 쓰세요.

01 The movie was boring, ___wasn't it___?
그 영화는 지루했어, 그렇지 않니?

02 Your friends can speak Korean, ________________?
너의 친구들은 한국말을 할 수 있어, 그렇지 않니?

03 They will go to the gym, ________________?
그들은 체육관에 갈 거야, 그렇지 않니?

04 Sara and Susie went to the same school, ________________?
사라와 수지는 같은 학교에 다녔어, 그렇지 않니?

05 Your mother doesn't know him, ________________?
너의 어머니는 그를 몰라, 그렇지?

06 The store doesn't open on Sundays, ________________?
그 상점은 일요일에 열지 않아, 그렇지?

07 They won't go fishing, ________________?
그들은 낚시를 가지 않을 거야, 그렇지?

08 You and I are best friends, ________________?
너와 나는 가장 친한 친구야, 그렇지 않니?

09 The boys swam in the river, ________________?
그 소년들은 강에서 수영했어, 그렇지 않니?

10 Your sister likes Korean food, ________________?
너의 여동생은 한국 음식을 좋아해, 그렇지 않니?

11 It didn't rain last night, ________________?
어젯밤에 비가 오지 않았어, 그렇지?

12 Don't open the door, ________________?
그 문을 열지 마라, 그래 줄래?

WORDS

boring 지루한 **speak** 말하다 **gym** 체육관 **same** 같은 **know** 알다 **store** 상점 **open** 열다 **Sunday** 일요일 **best** 최고의 **swam** 수영하다(swim)의 과거형 **river** 강 **food** 음식 **open** 열다

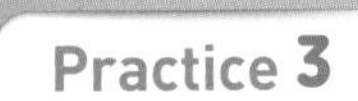

부가의문문의 시제는 앞 문장의 시제와 일치시킵니다.

1 다음 밑줄 친 부가의문문을 바르게 고치세요.

01 That car is very expensive, isn't that? → isn't it
저 자동차는 매우 비싸, 그렇지 않니?

02 Mary and Sam are your friends, aren't he? → ______
메리와 샘은 너의 친구들이야, 그렇지 않니?

03 She was late for school today, isn't she? → ______
그녀는 오늘 학교에 지각했어, 그렇지 않니?

04 They were not busy yesterday, are they? → ______
그들은 어제 바쁘지 않았어, 그렇지?

05 You don't know his name, don't you? → ______
너는 그의 이름을 몰라, 그렇지?

06 Your dad worked for a car company, does he? → ______
너의 아빠는 자동차 회사에서 일하셨어, 그렇지 않니?

07 Mr. Wilson doesn't have a car, does she? → ______
윌슨 씨는 자동차가 없어, 그렇지?

08 The train left at 6 p.m., does it? → ______
그 기차는 오후 6시에 떠났어, 그렇지 않니?

09 Your friends go jogging every morning, doesn't he? → ______
너의 친구들은 매일 아침 조깅을 해, 그렇지 않니?

10 You can understand it, do you? → ______
너는 그것을 이해할 수 있어, 그렇지 않니?

11 Your mom will take you to the museum, doesn't she? → ______
너의 엄마가 너를 박물관에 데려다줄 거야, 그렇지 않니?

12 Yesterday was your birthday, wasn't they? → ______
어제는 너의 생일이었어, 그렇지 않니?

WORDS

expensive 비싼 **late** 늦은 **busy** 바쁜 **know** 알다 **company** 회사 **left** 떠나다(leave)의 과거형 **jog** 조깅하다 **understand** 이해하다 **museum** 박물관 **birthday** 생일

Review Test 1

Chapter 01-04

공부한 날 : 　　　　부모님 확인 :

01> 다음 중 분수 읽기가 바르지 않은 것을 고르세요.

① $\frac{1}{3}$: a third

② $\frac{3}{4}$: three-fourths

③ $\frac{1}{2}$: a half

④ $\frac{2}{8}$: two-eighth

⑤ $\frac{2}{5}$: two-fifths

02> 다음 중 시각 읽기가 바르지 않은 것을 고르세요.

① 11시 45분: a quarter to twelve
② 6시 25분: six twenty-five
③ 5시 10분: ten after five
④ 2시 8분: ten to eight
⑤ 9시 50분: ten to ten

【03~04】 다음 그림을 보고 빈칸에 알맞은 말을 쓰세요.

03>

→ a quarter ________ six

04>

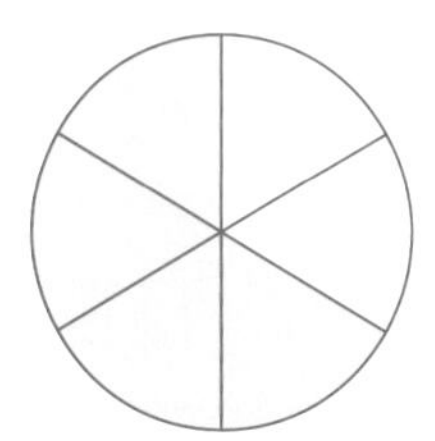

→ four - ________

【05~07】 다음 중 우리말과 일치하도록 빈칸에 알맞은 것을 고르세요.

05> There is a tree ________ the two houses. 두 집 사이에 나무가 있다.

① between　② by
③ until　④ around
⑤ over

06> A butterfly is flying ________ his head. 나비가 그의 머리 위로 날고 있다.

① between　② to
③ through　④ around
⑤ over

07> He walked ________ the field.
그는 들판을 가로질러 걸어갔다.

① from　② to
③ until　④ around
⑤ across

08> 다음 중 빈칸에 공통으로 알맞은 것을 고르세요.

- It will be sunny ________ tomorrow.
- The festival will continue ________ July 25th.

① from　② to
③ until　④ around
⑤ across

【09~11】 다음 그림을 보고 빈칸에 알맞은 전치사를 쓰세요.

09›

A train is going ________ the tunnel.
기차가 터널을 통과하고 있다.

→ ____________________

10›

There is a bridge ________ the river.
강 위에 다리가 있다.

→ ____________________

11›

We are sitting ________ the fire.
우리는 불 주위에 앉아 있다.

→ ____________________

12› 다음 중 빈칸에 올 수 없는 것을 고르세요.

I stayed at home ________ it rained.

① when ② after
③ until ④ before
⑤ between

【13~15】 다음 중 우리말과 일치하도록 빈칸에 알맞은 것을 고르세요.

13›
My father was handsome ________ he was young.
나의 아버지는 젊었을 때 잘생겼었다.

① when ② after
③ until ④ before
⑤ between

14›
I will wait ________ they arrive.
나는 그들이 도착할 때까지 기다릴 것이다.

① so ② while
③ until ④ before
⑤ because

15›
Sam takes a shower ________ he goes to bed.
샘은 자러 가기 전에 샤워를 한다.

① so ② while
③ until ④ before
⑤ because

【16~17】 다음 중 우리말을 영어로 바르게 쓴 것을 고르세요.

16› 나는 그가 음악을 듣는 동안 낮잠을 잤다.

① I took a nap while he listened to music.
② I took a nap before he listened to music.
③ He took a nap when I listened to music.
④ I took a nap until he listened to music.
⑤ I took a nap after he listened to music.

17› 앨리스는 10살까지 한국에 살았다.

① Alice lived in Korea until she was ten.
② Alice lived in Korea when she was ten.
③ Alice lived in Korea before she was ten.
④ Alice lived in Korea after she was ten.
⑤ Alice lived in Korea she was ten.

18› 다음 문장을 의미가 같도록 바꿔 쓸 때 빈칸에 알맞은 말을 쓰세요.

After she had dinner, she read a book.
→ She had dinner ______________ she read a book.

→ ________________________________

【19~21】 다음 중 빈칸에 알맞은 부가의문문을 고르세요.

19› They went fishing, ______________?

① aren't they ② do they
③ did they ④ don't they
⑤ didn't they

20› Your mom isn't a doctor, __________?

① isn't it ② is she
③ isn't she ④ is your mom
⑤ isn't your mom

21› Open the window, ______________?

① do you ② don't you
③ can you ④ isn't you
⑤ will you

22› 다음 중 부가의문문의 쓰임이 바르지 않은 것을 고르세요.

① You made a few mistakes, didn't you?
② She didn't study hard, did she?
③ You had tea with him, hadn't you?
④ They met my sister, didn't they?
⑤ He isn't a lawyer, is he?

23› 다음 시계를 보고 빈칸에 알맞은 말을 쓰세요.

A: What time is it now?
B: It's __________ to __________.

→ ______________________________

【24~26】 다음 그림을 보고 빈칸에 알맞은 말을 쓰세요.

24›

There is a house __________ the trees. 집이 나무들 사이에 있다.

→ ______________________________

25›

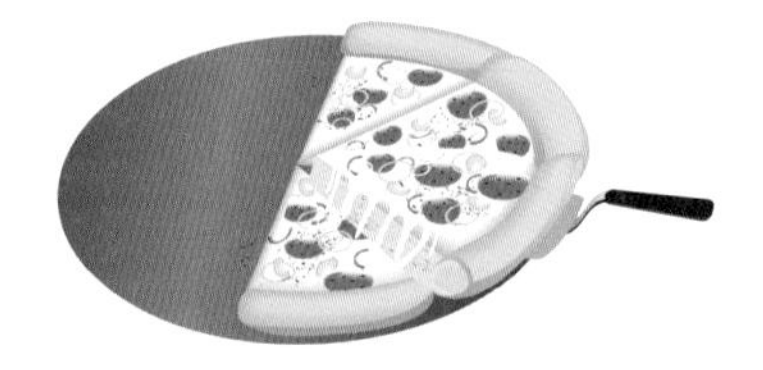

David had a __________ of the pizza. 데이비드는 피자 반을 먹었다.

→ ______________________________

26›

The shop opens __________ 9 a.m. __________ 5 p.m.
그 가게는 오전 9시부터 오후 5시까지 연다.

→ ______________________________

【27~28】 다음 빈칸에 알맞은 부가의문문을 쓰세요.

27› Your parents like Korean food, __________?

→ ______________________________

28› She didn't pass the exam, __________?

→ ______________________________

29› 다음 우리말을 영어로 쓰세요.

I listened to music while I waited.

→ ______________________________

30› 다음 분수를 영어로 쓰세요.

(1) $\frac{3}{7}$ - ______________________________

(2) $\frac{1}{4}$ - ______________________________

조동사 may

조동사 may 의미

조동사란 '동사를 돕는다'는 의미로 동사 앞에 쓰여 동사를 좀 더 구체적으로 표현하는 역할을 합니다. 조동사는 혼자서는 올 수 없고 반드시 뒤에 동사원형이 함께 와야 하며, 이때 나오는 동사를 본동사라고 합니다. 조동사 may는 추측, 허락, 금지의 의미를 가지고 있습니다.

You **go** home. 너는 집에 간다.
You **may go** home. 너는 집에 가도 된다. (may – 조동사)

[조동사 may + 동사원형]의 의미와 쓰임

쓰임	의미	예문
현재 또는 미래 일에 대한 약한 추측	~일지도 모른다 ~할지도 모른다	He **may be** a doctor. 그는 의사일지도 모른다. It **may rain** tomorrow. 내일 비가 올지도 모른다.
허락	~해도 좋다 ~해도 된다	You **may use** my computer. 너는 나의 컴퓨터를 사용해도 된다.

Tips 현재 또는 미래 일에 대해 추측할 때 may 대신 might를 사용할 수 있습니다. might는 may보다 확신이 더 없음을 의미합니다.
It may be true. 그것은 진실일지 모른다. It might be true. 그것은 진실일지 모른다. (확신이 may보다 떨어짐)

[may not + 동사원형]의 의미와 쓰임

쓰임	의미	예문
금지하기	~하면 안 된다	You **may not go** home now. 너는 지금 집에 가면 안 된다.
현재 또는 미래 일에 대한 약한 추측	~하지 않을 것이다	He **may not be** sick. 그는 아프지 않을 것이다.

[May I + 동사원형 ~?]의 의미와 쓰임

쓰임	의미	예문
허락받기	~해도 될까?	**May** I use your computer? 내가 너의 컴퓨터를 사용해도 될까?

Tips

- May로 질문하면 may로 답합니다.
  A: May I use your computer? 내가 너의 컴퓨터를 사용해도 될까?
  B: Yes, you may. 사용해도 돼. / No, you may not. 사용하지 마.
- 상대방에게 허락을 구할 때 may 대신 can을 이용할 수 있습니다.
  A: Can I use your computer? 내가 너의 컴퓨터를 사용해도 될까?
  B: Yes, you can. 사용해도 돼. / No, you can't. 사용하지 마.

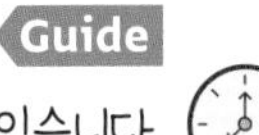

조동사 may는 추측, 허락, 금지의 의미를 가지고 있습니다.

1 다음 우리말을 참고하여 밑줄 친 may의 쓰임에 ○표 하세요.

01 It may snow in the afternoon. — 허락 / (추측) / 금지
오후에 눈이 올지도 모른다.

02 He may go there this afternoon. — 허락 / 추측 / 금지
그는 오후에 그곳에 갈지도 모른다.

03 May I speak to your mom? — 허락 / 추측 / 금지
너의 엄마와 통화해도 될까?

04 He may not be rich. — 허락 / 추측 / 금지
그는 부자가 아닐 것이다.

05 You may wait in my office. — 허락 / 추측 / 금지
너는 나의 사무실에서 기다릴 수 있다.

06 You may not smoke in the room. — 허락 / 추측 / 금지
너는 방에서 담배를 피워서는 안 된다.

07 May I stay at home today? — 허락 / 추측 / 금지
내가 오늘 집에 머물러도 될까?

08 Jason might be at home now. — 허락 / 추측 / 금지
제이슨은 아마 지금 집에 있을지도 모른다.

09 Take an umbrella. It may rain. — 허락 / 추측 / 금지
우산을 챙겨라. 비가 올지도 모른다.

10 May I listen to the radio? — 허락 / 추측 / 금지
내가 라디오를 들어도 될까?

11 He may be late for school today. — 허락 / 추측 / 금지
그는 오늘 학교에 지각할지 몰라.

12 You may not use my computer. — 허락 / 추측 / 금지
너는 내 컴퓨터를 사용할 수 없다.

WORDS

snow 눈 **afternoon** 오후 **speak** 말하다 **office** 사무실 **smoke** 담배 피다 **room** 방 **today** 오늘 **now** 지금 **umbrella** 우산 **listen to the radio** 라디오를 듣다 **use** 사용하다

조동사는 혼자서는 올 수 없고 반드시 뒤에 동사원형이 함께 와야 합니다.

1 다음 영어를 우리말로 쓰세요.

01 It may rain soon. (추측)

→ 곧 비가 올지 모른다.

02 She may not be at home. (추측)

→

03 You may know my cousin. (추측)

→

04 You may come into my office. (허락)

→

05 You may not take pictures here. (금지)

→

06 May I open the door? (허락)

→

07 You may eat any fruit in the basket. (허락)

→

08 You may not use my cellphone. (금지)

→

09 They may go shopping tomorrow. (추측)

→

10 The bus may not stop here. (추측)

→

11 You may not eat or drink for 30 minutes. (금지)

→

12 May I turn on the air conditioner? (허락)

→

WORDS

soon 곧 **know** 알다 **cousin** 사촌 **into** ~안으로 **picture** 사진, 그림 **here** 여기 **fruit** 과일 **basket** 바구니 **cellphone** 휴대전화 **tomorrow** 내일 **stop** 멈추다 **minute** 분 **air conditioner** 에어컨

Practice 3

Guide

[조동사 may (not)+동사원형]의 형태로 씁니다.  

1 다음 우리말과 일치하도록 주어진 단어와 may를 이용하여 문장을 완성하세요.

01 그녀는 오늘 학교에 지각할지 모른다. (school / be / late for)

→ She ___may be late for school___ today.

02 제가 지금 잠자리에 들어도 될까요? (now / bed / go to)

→ ________ I ____________________?

03 숙제를 마칠 때까지 외출하면 안 된다. (until / go out)

→ You ____________________ you finish your homework.

04 그녀는 가수가 아닐지도 모른다. (be / a singer)

→ She ____________________.

05 식당에서 담배를 피우면 안 된다. (smoke / not)

→ You ____________________ in the restaurant.

06 너의 화장실을 사용해도 될까? (use / your bathroom)

→ ________ I ____________________?

07 톰과 제시는 이번 주말에 낚시를 갈지 모른다. (go fishing / this / weekend)

→ Tom and Jessie ____________________.

2 다음 대화의 빈칸에 알맞은 대답을 쓰세요.

01 A: May I use your computer?
B: No, ___you may not___.

02 A: Can I play computer games?
B: Yes, ____________________.

03 A: May I borrow your umbrella?
B: Yes, ____________________.

04 A: May I go to the movies tonight?
B: No, ____________________.

WORDS

be late 늦다 go to bed 자러 가다 singer 가수 smoke 담배를 피우다 restaurant 식당 bathroom 화장실 weekend 주말 use 사용하다 borrow 빌리다 movie 영화 tonight 오늘 밤

must/can't/will be able to

① must의 쓰임

[must+동사원형]은 '~해야 한다'라는 의미 이외에 '~임에 틀림없다'라는 강한 추측을 표현할 때도 사용합니다.

의무(~해야 한다)	You **must** go home now. 너는 지금 집에 가야 한다.
추측 (~임에 틀림없다, 틀림없이 ~일 것이다)	She **must** be a singer. 그녀는 가수임에 틀림없다. He **must** be tired. 그는 틀림없이 피곤할 것이다.

② can't의 쓰임

[can't+동사원형]은 '~할 수 없다'라는 의미 이외에 '~일 리가 없다'라는 추측을 표현할 때도 사용합니다.

가능/능력(~할 수 없다)	He **can't** speak Korean. 그는 한국말을 할 수 없다.
추측 (~일 리가 없다, ~일 수 없다)	She **can't** be a doctor. 그녀는 의사일 리가 없다. He **can't** be tired. 그는 피곤할 수가 없다.

③ will be able to

[will be able to+동사원형]은 '~할 수 있을 것이다'라는 의미로 미래의 가능이나 능력을 예측할 때 사용합니다.

긍정문 (~할 수 있을 것이다)	You **will be able to** work again. 너는 일을 다시 할 수 있을 것이다. He **will be able to** finish the work by tomorrow. 그는 내일까지 그 일을 끝낼 수 있을 것이다.
부정문 (~할 수 없을 것이다)	You **won't be able to** work again. 너는 일을 다시 할 수 없을 것이다. He **won't be able to** finish the work by tomorrow. 그는 내일까지 그 일을 끝낼 수 없을 것이다. ※ will not의 축약형: won't

Tips 조동사는 두 개를 연속해서 사용할 수 없습니다.
He will can speak English well. (x) → He will be able to speak English well. 그는 영어를 잘 할 수 있을 것이다.

④ would like to

[would like to+동사원형]은 소망을 의미하는 표현으로 '~하고 싶다', '~했으면 좋겠다'라는 뜻으로 [want to+동사원형]보다 공손하고, 격식을 갖춘 표현입니다.

긍정문 (~하고 싶다, ~했으면 좋겠다)	I **would like to** drink iced tea. 나는 아이스티를 마시고 싶다. I **would like to** meet her today. 나는 오늘 그녀를 만나고 싶다.
의문문 (~하시겠어요?)	**Would** you **like to** dance with me? 저와 함께 춤을 추시겠어요?

Tips would like to를 줄여서 'd like to로 사용할 수 있습니다.
I'd like to drink water. 나는 물을 마시고 싶다.
A: Would you like to play soccer with us? 우리와 함께 축구할래요?
B: Yes, I would. 좋아요. (승낙할 때) / B: I'd like to, but I can't. 그러고 싶지만, 안 되겠네요. (거절할 때)

Practice 1

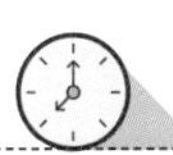

Guide

must는 '~임에 틀림없다'라는 강한 추측을 표현할 때 사용합니다.

1 다음 우리말과 일치하도록 괄호 안에서 알맞은 것을 고르세요.

01 He (must / can't) be hungry.
그가 배고플 리가 없다.

02 They (must / can't) be soldiers.
그들은 군인임에 틀림없다.

03 This (must / can't) be your mom.
이분이 너의 엄마일 리가 없다.

04 This can't (is / be) true.
이것이 사실일 리가 없다.

05 You (are / will) be able to pass the exam.
너는 시험에 통과할 수 있을 것이다.

06 Jane (will / must) be able to answer this question.
제인은 이 질문에 답할 수 있을 것이다.

07 He (will / won't) be able to finish the work by tomorrow.
그는 내일까지 그 일을 끝낼 수 없을 것이다.

08 Mike (will / won't) be able to come to school today.
마이크는 오늘 학교에 올 수 없을 것이다.

09 I (will / would) like to walk for a while.
나는 잠시 걷고 싶다.

10 I would like to (see / seeing) him again.
나는 그를 다시 만나고 싶다.

11 (Would / Can't) you like to have some coffee?
커피 좀 드시겠어요?

12 This computer (must / can't) be yours.
이 컴퓨터는 너의 것이 틀림없다.

WORDS

hungry 배고픈 **soldier** 군인 **true** 사실 **pass** 통과하다 **exam** 시험 **answer** 대답하다 **question** 질문 **finish** 마치다 **tomorrow** 내일 **for a while** 잠시 동안 **again** 다시 **coffee** 커피

can't는 '~일 리가 없다'라는 추측을 표현할 때 사용합니다.

1 다음 영어를 우리말로 쓰세요.

01 They must be actors.
→ 그들은 배우임에 틀림없다.

02 It can't be true.
→

03 He must be tired.
→

04 I would like to join the reading club.
→

05 Would you like to help us?
→

06 She will be able to walk soon.
→

07 I won't be able to attend the meeting tonight.
→

08 You will be able to get a job soon.
→

09 Jane can't be hungry now.
→

10 The flowers can't be real.
→

11 Would you like to take a walk with me?
→

12 The man must be rich.
→

WORDS

actor 배우 **tired** 피곤한 **join** 가입하다 **reading club** 독서모임 **help** 돕다 **attend** 참석하다 **job** 일, 직업 **soon** 곧 **flower** 꽃 **real** 진짜인 **take a walk** 산책하다 **rich** 부유한

will be able to는 미래의 가능이나 능력을 예측할 때 사용합니다.

1 다음 빈칸에 must나 can't를 쓰세요.

01 My friends walked for two hours. They ___must___ be tired.

02 Jane didn't come to school today. She ________ be sick.

03 Alice has a nice car. She ________ be rich.

04 Sam's brother is three years old. He ________ be a student.

05 The man sings very well. He ________ be a singer.

06 He ate lunch 30 minutes ago. He ________ be hungry.

07 James can't be American. He ________ speak English at all.

2 다음 주어진 단어를 이용하여 문장을 완성하세요. (필요한 조동사는 직접 쓰세요.)

01 나는 점심식사로 스파게티를 먹고 싶다. (have / pasta / like to)

→ I ___would like to have pasta___ for lunch.

02 나는 그녀에게 크리스마스 선물을 하나 주고 싶다. (give her / a gift / like to)

→ I ________________ for Christmas.

03 메시지를 남기시겠어요? (like to / leave / you)

→ ________________ a message?

04 그들은 이번 주 토요일에 너를 도와줄 수 있을 것이다. (be able to / you / help)

→ They ________________ this Saturday.

05 너는 온라인에서 그 티켓을 구매할 수 있을 것이다. (buy / the tickets / be able to)

→ You ________________ online.

06 그녀는 내일 사무실에 출근할 수 없을 것이다. (be able to / to office / come)

→ She ________________ tomorrow.

WORDS

hour 시간 tired 피곤한 sick 아픈 nice 멋진 well 잘 minute 분 ago 전에 American 미국인 at all 전혀 gift 선물 Christmas 크리스마스 message 메시지 ticket 표 online 온라인으로

Chapter 07 비교급

1 비교급의 의미와 쓰임

비교급이란 두 개의 물건 혹은 두 사람 사이에서 상태나, 성질이 어떤 것이 더 나은지 혹은 더 못한지를 표현하는 것으로, '더 ~하다'라는 의미를 가지고 있습니다.
비교급은 형용사나 부사의 모양에 변화를 주어 그 차이를 표현합니다.

I am **tall**.
나는 키가 크다.

I am **taller** than you. (비교급)
나는 너보다 키가 더 크다.

2 형용사/부사의 비교급 만들기

1음절 단어에는 **-er**를 붙입니다. (1음절이란 발음상 모음이 한 개 있는 것을 의미합니다.)	tall – taller 키가 큰 더 키가 큰	old – older 오래된 더 오래된	short – shorter 작은 더 작은
-e로 끝나는 1음절 단어에는 -r만 붙입니다.	nice – nicer 멋진 더 멋진	large – larger 큰 더 큰	wise – wiser 현명한 더 현명한
1음절 단어가 [하나의 모음+하나의 자음]으로 끝나면 마지막 자음을 한 번 더 쓰고 -er을 붙입니다.	fat – fatter 뚱뚱한 더 뚱뚱한	thin – thinner 마른 더 마른	hot – hotter 뜨거운 더 뜨거운
[자음+y]로 끝나는 1음절 단어는 y를 i로 고치고 -er를 붙입니다.	happy – happier 행복한 더 행복한	early – earlier 이른/일찍 더 이른/일찍	easy – easier 쉬운 더 쉬운
3음절 이상의 모든 단어는 앞에 more를 붙입니다. (3음절이란 발음상 모음이 세 개 있는 것을 의미합니다.)	beautiful 아름다운 – **more** beautiful 더 아름다운 dangerous 위험한 – **more** dangerous 더 위험한		

Tips -ous, -ly, -ful로 끝나는 단어에는 more를 붙입니다.
useful 유용한 – more useful famous 유명한 – more famous

3 비교급을 이용한 비교

비교급을 이용하여 사물이나 사람의 상태나 성질 등을 비교할 때 [원급+(e)r+than+비교대상] 또는 [more+원급+than+비교대상]을 이용하여 표현합니다.

형태	예문
원급+(e)r+than (~보다 더 …한)	He is **taller than** Sam. 그는 샘보다 키가 더 크다. Tom is **shorter than** Bill. 톰은 빌보다 키가 더 작다.
more+원급+than (~보다 더 …한)	This book is **more interesting than** that book. 이 책이 저 책보다 더 흥미롭다. Health is **more important than** money. 건강이 돈보다 더 중요하다.

Tips 원급이란 형용사나 부사의 원래 모습을 의미합니다.
tall (원급) – taller (비교급) happy (원급) – happier (비교급)

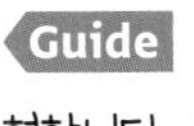

비교급은 형용사나 부사의 모양에 변화를 주어 그 차이를 표현합니다.

1 다음 단어들을 비교급 형태로 쓰세요.

01	long	longer	02	early	
03	famous		04	heavy	
05	strong		06	wide	
07	dark		08	wise	
09	big		10	hot	hotter
11	great		12	expensive	
13	hard		14	warm	warmer
15	large		16	careful	
17	beautiful	more beautiful	18	difficult	
19	important		20	cheap	
21	small		22	smart	
23	pretty		24	fast	
25	brave		26	tall	
27	close		28	high	
29	kind		30	quick	

WORDS

famous 유명한 **heavy** 무거운 **wide** 넓은 **dark** 어두운 **expensive** 비싼 **difficult** 어려운 **cheap** 싼 **pretty** 예쁜, 꽤 **brave** 용감한 **quick** 빠른, 빨리

-ous, -ly, -ful로 끝나는 단어의 비교급에는 more를 붙입니다.

1 다음 우리말과 일치하도록 주어진 단어를 이용하여 비교급 문장을 완성하세요.

01 He is ___taller___ than you. (tall)
그는 너보다 키가 더 크다.

02 He is a ________ musician than her. (great)
그는 그녀보다 더 위대한 음악가이다.

03 It is ________ than a knife. (dangerous)
그것이 칼보다 더 위험하다.

04 This car is ________ than that car. (expensive)
이 자동차가 저 자동차보다 더 비싸다.

05 My son is ________ than her son. (old)
나의 아들이 그녀의 아들보다 나이가 더 많다.

06 This chair is ________ than yours. (small)
이 의자 너의 것보다 더 작다.

07 We came here ________ than you. (early)
우리가 너보다 이곳에 더 먼저 왔다.

08 The sofa is ________ than that chair. (comfortable)
이 소파 저 의자보다 더 편안하다.

09 His house is ________ than my house. (big)
그의 집이 나의 집보다 더 크다.

10 This summer is ________ than last summer. (hot)
올 여름은 지난 여름보다 더 덥다.

11 Sam is ________ than Peter. (heavy)
샘은 피터보다 더 무겁다.

12 He is ________ than his brother. (strong)
그는 그의 형보다 더 강하다.

WORDS
musician 음악가 **knife** 칼 **dangerous** 위험한 **expensive** 비싼 **son** 아들 **chair** 의자 **comfortable** 편안한 **house** 집 **summer** 여름 **heavy** 무거운 **strong** 강한

[비교급+than+비교대상]으로 비교급을 표현합니다.

1 다음 우리말과 일치하도록 주어진 단어를 이용하여 비교급 문장을 만드세요.

01 He is shorter than you. (short)
그는 너보다 키가 더 작다.

02 He is ______________ her. (fast)
그는 그녀보다 더 빠르다.

03 Health is ______________ money. (important)
건강이 돈보다 더 중요하다.

04 Baekdu Mountain is ______________ Seoraksan Mountain. (high)
백두산이 설악산보다 더 높다.

05 My son is ______________ her son. (young)
나의 아들이 그녀의 아들보다 더 어리다.

06 This pencil is ______________ yours. (long)
이 연필이 너의 것보다 더 길다.

07 My sister came here ______________ you. (early)
나의 누나가 너보다 이곳에 더 먼저 왔다.

08 This book is ______________ that book. (interesting)
이 책이 저 책보다 더 재미있다.

09 His shoes are ______________ my shoes. (cheap)
그의 신발이 내 신발보다 더 싸다.

10 This winter is ______________ last winter. (cold)
올 겨울이 지난 겨울보다 더 춥다.

11 My room is ______________ your room. (dirty)
나의 방이 너의 방보다 더 더럽다.

12 He is ______________ his father. (famous)
그는 그의 아버지보다 더 유명하다.

WORDS

fast 빠른 **health** 건강 **money** 돈 **important** 중요한 **son** 아들 **young** 젊은, 어린 **interesting** 재미있는 **shoe** 신발 **cheap** 싼 **winter** 겨울 **dirty** 더러운 **famous** 유명한

Chapter 08 최상급

1 최상급의 의미와 쓰임

최상급이란 형용사나 부사에 -est 또는 most를 써서 셋 이상의 비교대상 중 상태나 성질이 '가장(제일) ~하다'라는 의미입니다. 그리고 최상급 앞에는 정관사 the를 붙입니다.

Tony is **the tallest** in my class. (최상급)
토니는 나의 반에서 제일 키가 크다.

2 형용사/부사의 최상급 만들기

1음절 단어에는 -est를 붙입니다. (1음절이란 발음상 모음이 한 개 있는 것을 의미합니다.)	tall – the tall**est** / old – the old**est** / short – the short**est** 키가 큰 가장 키가 큰 / 오래된 가장 오래된 / 작은 가장 작은
-e로 끝나는 1음절 단어에는 -st만 붙입니다.	nice – the nice**st** / large – the large**st** / wise – the wise**st** 멋진 가장 멋진 / 큰 가장 큰 / 현명한 가장 현명한
1음절 단어가 [하나의 모음+하나의 자음]으로 끝나면 마지막 자음을 한 번 더 쓰고 -est을 붙입니다.	big – the bi**ggest** / thin – the thi**nnest** / hot – the ho**ttest** 뚱뚱한 가장 뚱뚱한 / 마른 가장 마른 / 뜨거운 가장 뜨거운
[자음+y]로 끝나는 1음절 단어는 y를 i로 고치고 -est를 붙입니다.	happy – the happ**iest** / early – the earl**iest** / easy – the eas**iest** 행복한 가장 행복한 / 이른/일찍 가장 이른/일찍 / 쉬운 가장 쉬운
3음절 이상의 모든 단어는 앞에 most를 붙입니다. (3음절이란 발음상 모음이 세 개 있는 것을 의미합니다.)	beautiful 아름다운 – the **most** beautiful 가장 아름다운 dangerous 위험한 – the **most** dangerous 가장 위험한 interesting 재미있는 – the **most** interesting 가장 재미있는

Tips
- -ous, -ly, -ful로 끝나는 단어에는 most를 붙입니다.
  useful 유용한 – the most useful　famous 유명한 – the most famous
- 불규칙 비교급과 최상급
  good / well 좋은 / 잘 – better – the best

3 최상급을 이용한 비교

the + 최상급 / most + 원급	+ [명사] +	in 장소/단수명사 of all/복수명사	~ (중)에서 가장 …한 [명사]

Carol is **the tallest girl** in my class. 캐롤이 우리 반에서 가장 키 큰 소녀이다.
She is **the most popular singer** in Korea. 그녀는 한국에서 가장 인기 있는 가수이다.
Cathy is **the oldest** of them all. 캐시는 그들 중에서 나이가 제일 많다.

Tips 최상급 다음에 명사 없이도 표현할 수 있습니다.
She is the most beautiful in the world. 그녀는 세상에서 제일 예쁘다.
She is the tallest in her class. 그녀는 반에서 제일 키가 크다.

최상급 앞에는 정관사 the를 붙입니다.

1 다음 단어들을 최상급 형태로 쓰세요. (the를 함께 쓰세요.)

01	long	the longest	02	early	
03	famous		04	heavy	
05	strong		06	wide	
07	dark		08	wise	
09	big		10	hot	the hottest
11	great		12	expensive	
13	hard		14	warm	the warmest
15	large		16	careful	
17	beautiful	the most beautiful	18	difficult	
19	important		20	cheap	
21	small		22	smart	
23	pretty		24	fast	
25	brave		26	tall	
27	close		28	high	
29	kind		30	quick	

WORDS

early 이른, 일찍 **wise** 현명한 **great** 훌륭한 **warm** 따뜻한 **careful** 주의 깊은 **important** 중요한 **smart** 영리한 **close** 가까운 **kind** 친절한

-ous, -ly, -ful로 끝나는 단어의 최상급에는 most+를 붙입니다.

1 다음 우리말과 일치하도록 주어진 단어를 이용하여 비교급 문장을 완성하세요.

01 She is the ______oldest______ of them all. (old)
그녀는 그들 중에서 나이가 제일 많다.

02 He is the ____________ boy of us all. (smart)
그는 우리들 중에서 가장 똑똑한 소년이다.

03 This bag is the ____________ in this store. (cheap)
이 가방이 이 상점에서 가장 저렴하다.

04 This is the ____________ river in Korea. (long)
이것이 한국에서 가장 긴 강이다.

05 She is the ____________ singer in Canada. (famous)
그녀는 캐나다에서 가장 유명한 가수이다.

06 This car is the ____________ in the world. (expensive)
이 자동차가 세상에서 제일 비싸다.

07 That is the ____________ building around here. (big)
저것이 이 주위에서 가장 큰 건물이다.

08 Health is the ____________ thing of all. (important)
건강이 모든 것 중에서 가장 중요한 것이다.

09 Jessie is the ____________ in the reading club. (young)
제시는 독서모임에서 가장 어리다.

10 She climbed the ____________ mountain in Japan. (high)
그녀는 일본에서 가장 높은 산에 올랐다.

11 Soccer is the ____________ sport in Brazil. (popular)
축구는 브라질에서 가장 인기 있는 스포츠이다.

12 Jack is the ____________ boy in his school. (strong)
그는 그의 학교에서 가장 힘이 센 소년이다.

WORDS

smart 영리한 **store** 상점 **river** 강 **singer** 가수 **world** 세상, 세계 **expensive** 비싼 **building** 건물 **thing** 것 **climb** 오르다 **mountain** 산 **soccer** 축구 **popular** 인기 있는

Guide

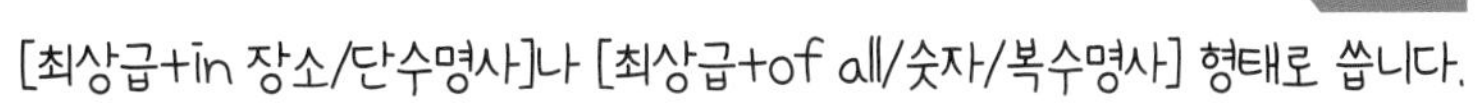

1 다음 우리말과 일치하도록 주어진 단어를 바르게 배열하세요. (필요하면 최상급으로 변형하세요.)

01 이것은 세상에서 가장 빠른 자동차이다. (is / fast / car)

→ This is the fastest car in the world.

02 나는 팀에서 가장 키가 큰 선수이다. (tall / player)

→ I am ______________________ in the team.

03 그는 이 건물에서 가장 바쁜 사람이다. (man / busy)

→ He is ______________________ in this building.

04 그는 세상에서 최고의 골프선수다. (good / golfer)

→ He is ______________________ in the world.

05 고래가 세상에서 제일 큰 동물이다. (animal / big)

→ The whale is ______________________ in the world.

06 저것이 가게에서 가장 편안한 의자다. (comfortable / chair)

→ That is ______________________ in the store.

07 이 상자가 그것들 중에서 제일 무겁다. (this box / heavy / is)

→ ______________________ of them all.

08 8월이 1년 중 가장 더운 달이다. (hot / August / is / month)

→ ______________________ of the year.

09 러시아가 세상에서 가장 큰 나라이다. (large / country)

→ Russia is ______________________ in the world.

10 우리들 중 나의 머리카락이 제일 길다. (of / long)

→ My hair is ______________________ us all.

11 누가 세상에서 가장 잘생긴 남자니? (handsome / is / man)

→ Who ______________________ in the world?

12 과학이 나에게는 가장 어려운 과목이다. (difficult / subject)

→ Science is ______________________ for me.

WORDS

player 선수 building 건물 golfer 골프선수 whale 고래 animal 동물 comfortable 편안한 heavy 무거운 month 달 year 연, 해 country 나라 hair 머리카락 subject 과목 science 과학

Review Test 2

Chapter 05-08

공부한 날 :　　　　　부모님 확인 :

【01~03】 다음 중 빈칸에 알맞은 것을 고르세요.

01› It ____________ rain tomorrow.
내일 비가 올지 모른다.

① can't　② may　③ must
④ have to　⑤ is able to

02› She ____________ be a singer.
그녀는 가수임에 틀림없다.

① can't　② may　③ must
④ have to　⑤ is able to

03› She ____________ be a doctor.
그녀는 의사일 리가 없어.

① can't　② may　③ must
④ have to　⑤ is able to

【04~06】 다음 중 우리말을 영어로 바르게 쓴 것을 고르세요.

04› 그녀는 가수가 아닐지도 모른다.

① She may not be a singer.
② She must not be a singer.
③ She can not be a singer.
④ She will not be a singer.
⑤ She would not like to be a singer.

05› 그는 5시까지 숙제를 끝낼 수 있을 것이다.

① He must finish homework by 5.
② He may finish homework by 5.
③ He won't be finish homework by 5.
④ He will be able to finish homework by 5.
⑤ He will have to finish homework by 5.

06› 나는 커피를 마시고 싶다.

① I would have some coffee.
② I would like having some coffee.
③ I would like have some coffee.
④ I would like to have some coffee.
⑤ I would like to having some coffee.

【07~08】 다음 중 대화에 들어갈 말로 알맞은 것을 고르세요.

07› A: May I go to the movies tonight?
B: No, ____________________.

① you won't
② you don't
③ you would not
④ you don't have to
⑤ you may not

08› A: Would you like to come with me?
B: I'd like to, but ____________.

① I won't ② I don't
③ I can't ④ I don't have to
⑤ I may not

09› 다음 중 빈칸에 공통으로 들어갈 것을 고르세요. (대소문자 구분 안 함.)

- You ________ go home.
- ________ I use your computer?

① can't ② may ③ does
④ have to ⑤ is able to

10› 다음 중 비교급이 바르지 않은 것을 고르세요.

① large - larger ② big - bigger
③ busy - busyer ④ hot - hotter
⑤ high - higher

【11~12】 다음 그림을 보고 빈칸에 알맞은 말을 쓰세요.

11›

Cathy is 12 years old.
Sora is 8 years old.
Sora is ____________ than Cathy.

→ ______________________________

12›

$20
$30

The bag is ____________ expensive than the T-shirt.

→ ______________________________

13› 다음 중 밑줄 친 부분이 어색한 것을 고르세요.

① This is longer than that.
② My sister is heavyer than me.
③ Your hair is longer than mine.
④ A tiger is stronger than a cat.
⑤ He is older than Ted.

【14~15】 다음 중 빈칸에 알맞은 것을 고르세요.

14› Your computer is ____________ than my computer.

① fast ② faster ③ fastest
④ slow ⑤ slowest

15› Which do you like ____________, apples or oranges?

① well ② good ③ best
④ better ⑤ much

【16~17】 다음 중 우리말을 영어로 바르게 쓴 것을 고르세요.

16> 고양이는 호랑이보다 더 작다.

① A cat is smaller a tiger.
② A cat is the smaller a tiger.
③ A cat is smaller than a tiger.
④ A cat is more small than a tiger.
⑤ A cat is more smaller than a tiger.

17> 시간이 돈보다 더 중요하다.

① Time is more important money.
② Time is important than money.
③ Time is importanter than money.
④ Time is more important to time.
⑤ Time is more important than money.

18> 다음 중 비교급과 최상급 연결이 바르지 않은 것을 고르세요.

① good - better - best
② long - longger - longgest
③ large - larger - largest
④ happy - happier - happiest
⑤ beautiful - more beautiful - most beautiful

【19~20】 다음 중 우리말과 일치하도록 빈칸에 알맞은 것을 고르세요.

19> This bag is ________ in this store. 이 가방이 상점에서 가장 저렴하다.

① cheap ② more cheap
③ cheaper ④ cheapest
⑤ the cheapest

20> She is ________ girl in the world.
그녀는 세상에서 제일 아름다운 소녀다.

① beautiful ② more beautiful
③ beautifulest ④ most beautiful
⑤ the most beautiful

【21~22】 다음 중 우리말을 영어로 바르게 쓴 것을 고르세요.

21> 제시가 셋 중에서 가장 어리다.

① Jessie is younger in three.
② Jessie is the youngest in three.
③ Jessie is the youngest of the three.
④ Jessie is younger than three.
⑤ Jessie is the younger of the three.

22> 이것이 도시에서 가장 높은 건물이다.

① This is the tall building in the city.
② This is the taller building in the city.
③ This is the tallest building in the city.
④ This is most tallest building in the city.
⑤ This is the most tall building in the city.

23> 다음 중 빈칸에 알맞은 것을 고르세요.

Mike is taller than me.
Sumi is taller than me, too.
So I am ________.

① taller ② the tallest
③ shorter ④ the youngest
⑤ the shortest

24> 다음 단어의 비교급과 최상급을 쓰세요.

(1) happy 비교급 ______________

최상급 the ______________

(2) famous 비교급 ______________

최상급 the ______________

25> 다음 중 보기의 밑줄 친 것과 쓰임이 같은 것을 고르세요.

She must be a doctor.

① You must go home now.
② You must keep a secret.
③ She must hurry up.
④ We must be quiet in the library.
⑤ The bag must be in the kitchen.

【26~27】 다음 빈칸에 알맞은 말을 보기에서 골라 쓰세요.

can't must

26>

Happy to meet you!

Alice can speak English very well.
She ______________ be American.

→ ______________

27>

The man is not good at singing.
He ______________ be a singer.

→ ______________

28> 다음 우리말과 일치하도록 빈칸에 알맞은 조동사를 쓰세요.

Jessie ______________ go swimming this weekend.
제시는 이번 주말에 수영하러 갈지 모른다.

→ ______________

【29~30】 다음 우리말과 일치하도록 주어진 단어를 바르게 배열하세요.

29>

영어가 한국어보다 더 어렵다.
(more / is / English /difficult / Korean / than)

→ ______________

____

30>

너는 그녀를 다시 만날 수 있을 것이다.
(will / meet / you / her / be able to / again)

→ ______________

____

What/Which

① 의문사 What/Which의 의미와 쓰임

의문사란 '누가(Who), 언제(When), 어디서(Where), 왜(Why), 무엇을(What), 어떻게(How), 어떤(Which)' 등과 같이 구체적인 정보를 얻기 위해 질문할 때 사용하는 것으로 문장 맨 앞에 옵니다. 의문사로 물으면 Yes나 No로 대답할 수 없습니다.

② 의문사 What의 쓰임

의문사 What은 '무엇, 무엇이, 무엇을, 무슨' 등의 의미를 가지며, 사물에 관해 질문할 때 사용합니다.

What (무엇, 무엇을, 무슨)	+be동사+주어 ~?	**What** is it? 그것은 무엇이니? **What** are these? 이것들은 무엇이니?
	+be동사+주어+-ing ~?	**What** is he doing now? 그는 지금 뭐하고 있니? **What** are you reading? 너는 무엇을 읽고 있니?
	+do[does/did]+주어+동사원형 ~?	**What** did you do yesterday? 너는 어제 무엇을 했니? **What** does he do on Sundays? 그는 일요일에 무엇을 하니?
	+명사+do[does/did]+주어+동사원형 ~?	**What** sport do you like? 너는 무슨 운동을 좋아하니? **What** color do you like? 너는 무슨 색을 좋아하니?

Tips [kind of+명사]를 이용하여 물어볼 수 있습니다.
A: What kind of sport do you like? 너는 무슨 종류의 운동을 좋아하니?
B: I like baseball. 나는 야구를 좋아해.

③ 의문사 Which의 쓰임

의문사 Which는 '어떤 것이, 어떤 것을, 어떤' 등의 의미를 가지며, 정해진 범위 내에서 선택적 질문을 할 때 사용합니다.

Which (어떤 것이, 어떤 것을, 어떤)	+be동사+주어 ~?	**Which** is your book, this one or that one? 어떤 것이 너의 책이니, 이것이니 아니면 저것이니? ※ one는 대명사로 book을 대신해 사용했습니다.
	+do[does/did]+주어+동사원형 ~?	**Which** do you want to drink, coffee or tea? 어떤 것을 마실래, 커피 아니면 차?
	+명사+do[does/did]+주어+동사원형 ~?	**Which** sport do you like, baseball or soccer? 너는 어떤 운동을 좋아하니, 야구 아니면 축구? **Which** color do you like, yellow or red? 너는 어떤 색을 좋아하니, 노란색 아니면 빨간색?

Tips What은 특정하지 않은 것을 물어보는 의문문에 사용되는 반면, Which는 특정한 그룹 안에서 어느 하나를 물어보는 선택 의문문에 사용됩니다.
What sport do you like? 너는 무슨 운동을 좋아하니? – 선택이 정해지지 않았음.
Which sport do you like, soccer or basketball? 너는 어떤 운동을 좋아하니, 야구 아니면 축구?
– 야구와 축구 중에서 답해야 함. (선택이 정해져 있음.)

의문사는 구체적인 정보를 얻기 위해 질문할 때 사용하며 문장 맨 앞에 옵니다.

1 다음 우리말과 일치하도록 괄호 안에서 알맞은 것을 고르세요.

01 (What / Which) is this?
이것은 무엇이니?

02 (What / Which) is Mike doing now?
마이크는 지금 무엇을 하고 있니?

03 (What / Which) do you like better, pop music or classical music?
너는 어떤 것을 더 좋아하니, 대중음악 아니면 고전음악?

04 (What / Which) club do you want to join, the reading club or the soccer club?
너는 어떤 모임을 가입하기를 원하니, 독서모임 아니면 축구모임?

05 (What / Which) are you reading?
너는 무엇을 읽고 있니?

06 (What / Which) one do you want to buy, this bag or that bag?
너는 어떤 것을 사고 싶니, 이 가방 아니면 저 가방?

07 (What / Which) do you want to be?
너는 무엇이 되고 싶니?

08 (What / Which) kinds of TV programs do you like?
너는 무슨 종류의 TV 프로그램을 좋아하니?

09 Which (is / do) your car, the red one or the black one?
어떤 것이 너의 자동차니, 빨간색 아니면 검은색?

10 (What / Which) is your brother doing?
너의 남동생은 무엇을 하고 있니?

11 Which book (is / do) you want to buy, this one or that one?
너는 어떤 책을 사길 원하니, 이것 아니면 저것?

12 (What / What kind) is your favorite season?
네가 좋아하는 계절은 뭐니?

WORDS

now 지금 **better** 더 좋은 **pop music** 대중음악 **classical music** 고전음악 **join** 가입하다 **bag** 가방 **kind** 종류 **program** 프로그램 **favorite** 좋아하는 **season** 계절

What은 '무엇, 무엇이, 무엇을, 무슨' 등의 의미를 가지고 있습니다.

1 다음 우리말과 일치하도록 빈칸에 알맞은 말을 쓰세요.

01 ___What___ did you do last weekend?
너는 지난 주말에 무엇을 했니?

02 ________ is your favorite fruit?
네가 좋아하는 과일은 무엇이니?

03 ________ is your computer, this one or that one?
어느 것이 너의 컴퓨터니, 이 컴퓨터 아니면 저 컴퓨터?

04 What ________ of music do you like?
너는 무슨 종류의 음악을 좋아하니?

05 ________ subject does she like, science or history?
그녀는 어떤 과목을 좋아하니, 과학 아니면 역사?

06 ________ season do you like, summer or winter?
너는 어떤 계절을 좋아하니, 여름 아니면 겨울?

07 What ________ she buy yesterday?
그녀는 어제 무엇을 샀니?

08 ________ kind of movie did you watch yesterday?
너는 어제 무슨 종류의 영화를 보았니?

09 ________ is your car, the red one or the white one?
어떤 것이 너의 자동차니, 빨간색 아니면 하얀색?

10 ________ is her job?
그녀의 직업이 무엇이니?

11 ________ one does she teach at your school, science or math?
그녀는 너의 학교에서 어떤 것을 가르치니, 과학 아니면 수학?

12 ________ does your father do?
너의 아버지는 무엇을 하시니(직업이 뭐니)?

WORDS

weekend 주말 **fruit** 과일 **computer** 컴퓨터 **music** 음악 **subject** 과목 **history** 역사 **season** 계절 **summer** 여름 **winter** 겨울 **yesterday** 어제 **movie** 영화 **job** 직업 **math** 수학

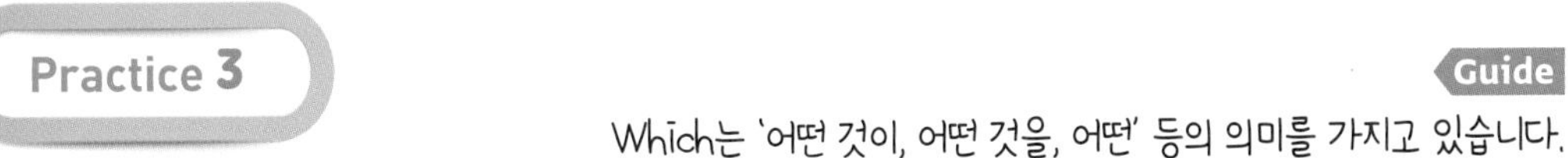

Which는 '어떤 것이, 어떤 것을, 어떤' 등의 의미를 가지고 있습니다.

1 다음 우리말과 일치하도록 주어진 단어를 배열하세요. (필요한 의문사는 직접 쓰세요.)

01 그녀의 이름이 무엇이니? (is / name / her)

→ What is her name?

02 너는 점심으로 무엇을 먹었니? (you / did / eat)

→ ______________________ for lunch?

03 어느 것이 너의 배낭이니, 이것 아니면 저것? (is / backpack / your)

→ ______________________, this one or that one?

04 너는 내일 무엇을 할 거니? (do / you / going to / are)

→ ______________________ tomorrow?

05 너는 어떤 과일을 좋아하니, 사과 아니면 오렌지? (you / fruit / like / do)

→ ______________________, apples or oranges?

06 너는 어느 것을 먹기를 원하니, 피자 아니면 파스타? (you / want / to eat / do)

→ ______________________, pizza or pasta?

07 그는 생일 선물로 무엇을 원하니? (does / he / want)

→ ______________________ for his birthday?

08 너의 친구들은 지금 무엇을 읽고 있니? (your friends / are / reading)

→ ______________________ now?

09 그녀가 좋아하는 과목이 무엇이니? (favorite / her / is)

→ ______________________ subject?

10 너는 어떤 티셔츠를 원하니, 노란색 아니면 빨간색? (T-shirt / you / do / want)

→ ______________________, the yellow one or the red one?

11 너는 어떤 동물을 좋아하니, 고양이 아니면 개? (do / animal / you / like)

→ ______________________, cats or dogs?

12 그녀는 어떤 것을 마셨니, 커피 아니면 차? (she / did / drink)

→ ______________________, coffee or tea?

WORDS

name 이름 **eat** 먹다 **lunch** 점심(식사) **backpack** 배낭 **tomorrow** 내일 **pasta** 파스타
birthday 생일 **favorite** 좋아하는 **subject** 과목 **T-shirt** 티셔츠 **animal** 동물 **tea** 차

Chapter 10 Why/Where/When

1 의문사 Why의 의미와 쓰임

의문사 Why는 '왜'라는 의미로 이유를 질문할 때 사용합니다.

Why (이유 – 왜)	+be동사+주어+형용사?	**Why** is he angry? 그는 왜 화가 났니? **Why** were you late? 너는 왜 지각했니?
	+be동사+주어+-ing ~?	**Why** are you crying? 너는 왜 울고 있니?
	+do[does/did]+주어 +동사원형 ~?	**Why** did you go to the market? 너는 왜 시장에 갔니?

Tips Why로 물어보는 질문에는 because(왜냐하면)로 대답할 수 있습니다. 그러나 반드시 because를 붙일 필요는 없습니다.
A: Why are you late? 너는 왜 늦었니?
B: I am late because I got up late. 왜냐하면 나는 늦게 일어났어.

2 의문사 Where의 의미와 쓰임

의문사 Where는 '어디에', '어디로'라는 의미로 장소와 관련해 질문할 때 사용합니다.

Where (장소 – 어디에(서), 어디로)	+be동사+주어[명사/대명사]?	**Where** is he? 그는 어디에 있니? **Where** is your bag? 너의 가방은 어디에 있니?
	+be동사+주어+-ing ~?	**Where** are you going now? 너는 지금 어디에 가고 있니?
	+do[does/did]+주어 +동사원형 ~?	**Where** did she buy the shoes? 그녀는 그 신발을 어디에서 샀니?

Tips Where로 질문하면 장소로 답해야 합니다.
A: Where is your bag? 너의 가방은 어디에 있니?
B: It's on the desk. 책상 위에 있어.

3 의문사 When의 의미와 쓰임

의문사 When은 '언제'라는 의미로 '시간이나 때'와 관련해 질문할 때 사용합니다.

When (시간 – 언제)	+be동사+주어[명사/대명사]?	**When** is your birthday? 너의 생일은 언제니?
	+do[does/did]+주어 +동사원형 ~?	**When** does the movie start? 그 영화는 언제 시작하니?

Tips
- When으로 질문하면 시간에 관련해 답해야 합니다.
  A: When is your birthday? 너의 생일은 언제니?
  B: It's October 11th. 10월 11일이야.
- When은 경우에 따라 What time으로 쓸 수도 있습니다.
  When do you get up in the morning? 너는 아침에 언제 일어나니?
  = What time do you get up in the morning? 너는 아침에 몇 시에 일어나니?

Guide

Why는 '왜'라는 의미로 이유를 질문할 때 사용합니다.

1 다음 우리말과 일치하도록 괄호 안에서 알맞은 것을 고르세요.

01 (Why / When / Where) were you in the hospital?
너는 왜 병원에 입원했었니?

02 (Why / When / Where) does the store open?
그 상점은 언제 여니?

03 (Why / When / Where) are they going now?
그들은 지금 어디에 가고 있니?

04 Where (does / is / did) he go yesterday?
그는 어제 어디에 갔었니?

05 (Why / When / Where) is she so sad?
그녀는 왜 그렇게 슬프니?

06 (Why / When / Where) does he go to the library every day?
그는 왜 매일 도서관에 가니?

07 (Why / When / Where) are they from?
그들은 어디 출신이니?

08 Where (does / is / did) your aunt live?
너의 숙모는 어디에 사시니?

09 (Why / When / Where) do you want to listen to music?
너는 왜 음악을 듣기를 원하니?

10 (Why / When / Where) did your sister buy it?
너의 여동생은 어디에서 그것을 샀니?

11 (Why / When / Where) is your job interview?
너의 면접은 언제니?

12 (What / When / Where) time do you have dinner?
너는 몇 시에 저녁식사를 하니?

WORDS

hospital 병원 **store** 상점 **open** 열다 **now** 지금 **sad** 슬픈 **library** 도서관 **every day** 매일 **from** ~로 부터 **aunt** 숙모 **live** 살다 **listen** 듣다 **music** 음악 **interview** 인터뷰, 면접

Practice 2

Guide

Where는 '어디에', '어디로'라는 의미로 장소와 관련해 질문할 때 사용합니다.

1 다음 대화의 빈칸에 알맞은 의문사를 쓰세요.

01 A: ____Why____ is he sad?
B: He failed the test.

02 A: __________ does the game start?
B: It starts at 11 a.m.

03 A: __________ do they live?
B: They live in Canada.

04 A: __________ did Susie go yesterday?
B: She went to the shopping mall.

05 A: __________ did she go to the shopping mall?
B: She wanted to buy some vegetables.

06 A: __________ is the bakery?
B: It's next to the bank.

07 A: __________ are they from?
B: They are from Korea.

08 A: __________ did you park your car?
B: I parked my car at the parking lot.

09 A: __________ do you want to listen to music?
B: I want to listen to music at night.

10 A: __________ were you late today?
B: I missed the school bus.

11 A: __________ is the next train to London?
B: It will arrive soon.

12 A: __________ did Sara get the cap?
B: Her father gave it to her.

WORDS

fail 실패하다 **test** 시험 **game** 경기 **Canada** 캐나다 **yesterday** 어제 **shopping mall** 쇼핑몰 **vegetable** 야채 **park** 주차하다 **parking lot** 주차장 **at night** 밤에 **miss** 놓치다 **arrive** 도착하다 **get** 얻다

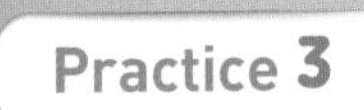
Practice 3

Guide

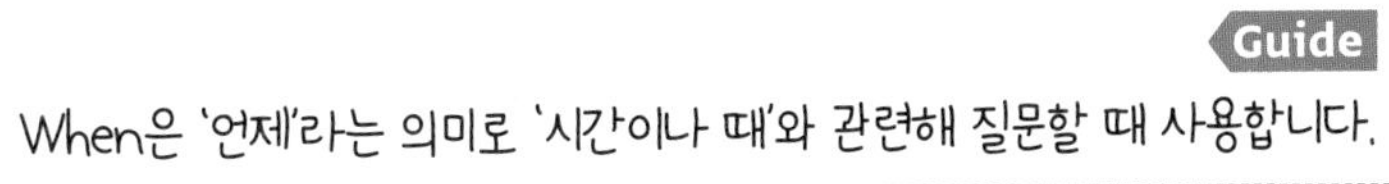
When은 '언제'라는 의미로 '시간이나 때'와 관련해 질문할 때 사용합니다.

1 다음 우리말과 일치하도록 주어진 단어를 바르게 배열하세요. (필요한 의문사는 직접 쓰세요.)

01 그 반지는 어디에 있니? (the ring / is)

→ Where is the ring?

02 너는 왜 학교에 늦었니? (were / you / late / for)

→ ______________________ school?

03 그들은 왜 영어를 배우니? (they / learn / English / do)

→ ______________________

04 제인은 점심을 어디서 먹니? (Jane / eat / does / lunch)

→ ______________________

05 너는 왜 그 문제를 풀었니? (solve / you / did)

→ ______________________ the problem?

06 지하철역은 어디에 있니? (is / the subway station)

→ ______________________

07 너는 왜 야구를 좋아하니? (you / do / baseball / like)

→ ______________________

08 그는 언제 결혼했니? (did / get married / he)

→ ______________________

09 말하기 대회는 언제니? (the speaking contest / is)

→ ______________________

10 너는 왜 선글라스를 쓰고 있니? (wearing / you / are / sunglasses)

→ ______________________

11 서울행 버스가 몇 시에 떠나니? (time / the bus / does / to Seoul)

→ ______________________ leave?

12 너는 어제 왜 그렇게 바빴니? (so / busy / were / you)

→ ______________________ yesterday?

WORDS

ring 반지 **late** 늦은 **English** 영어 **lunch** 점심(식사) **solve** 풀다 **problem** 문제 **subway** 지하철 **station** 역 **baseball** 야구 **get married** 결혼하다 **contest** 대회 **sunglasses** 선글라스 **leave** 떠나다

Who/Whose/How

Who의 의미와 쓰임

의문사 Who는 '누가', '누구'라는 의미로 사람에 관련해 질문할 때 사용합니다.

Who (사람 – 누가, 누구, 누구를)	+be동사+주어 ~?	**Who** is he? 그는 누구니?
	+be동사+주어+-ing ~?	**Who** is he talking with? 그는 누구와 얘기 중이니?
	+do[does/did]+주어 +동사원형 ~?	**Who** do you like? 너는 누구를 좋아하니?

Whose의 의미와 쓰임

의문사 Whose는 '누구의'라는 의미로 소유와 관련해 질문할 때 사용합니다.

Whose (소유 – 누구의, 누구의 것)	+명사+be동사 +주어 ~?	**Whose bag** is this? 이것은 누구의 가방이니? = **Whose** is this bag? **Whose pencils** are those? 저것들은 누구의 연필이니? = **Whose** are those pencils?

How의 의미와 쓰임

의문사 How는 '어떠한', '어떻게'라는 의미로 상태나 방법에 관련해 질문할 때 사용합니다.

How (상태 – 어떠한 방법 – 어떻게)	+be동사+주어 ~?	**How** are you today? 오늘 어때? - 상태
	+do[does/did]+주어 +동사원형 ~?	**How** do you feel today? 오늘 기분 어떠니? - 상태 **How** did she solve the riddle? 그녀는 어떻게 그 수수께끼를 풀었니? - 방법

Tips "How are you?"로 물으면 다음과 같이 대답합니다.
Good, thanks. And you? 좋아, 고마워. 너는? / Not bad. How are you? 나쁘지 않아. 너는 어때? /
I'm fine, thanks. 좋아, 고마워.

Who는 '누가', '누구'라는 의미로 사람에 관련해 질문할 때 사용합니다.

1 다음 우리말과 일치하도록 괄호 안에서 알맞은 것을 고르세요.

01 (Who / Whose / How) is your brother?
너의 남동생은 잘 있니?

02 (Who / Whose / How) do I get to the bank?
은행에 어떻게 가죠?

03 (Who / Whose / How) is the weather today?
오늘 날씨 어때?

04 (Who / Whose / How) is the boy?
그 소년은 누구니?

05 (Who / Whose / How) cat is this?
이것은 누구의 고양이니?

06 (Who / Whose / How) does she like?
그녀는 누구를 좋아하니?

07 (Who / Whose / How) is he living with?
그는 누구와 함께 살고 있니?

08 (Who / Whose / How) did you make the cake?
너는 그 케이크를 어떻게 만들었니?

09 (Who / Whose / How) did she meet at the café?
그녀는 카페에서 누구를 만났니?

10 (Who / Whose / How) are the girls in the room?
그 방에 있는 소녀들은 누구니?

11 (Who / Whose / How) do they go to school?
그들은 학교에 어떻게 가니?

12 (Who / Whose / How) are those apples?
저 사과들은 누구의 것이니?

WORDS

bank 은행 **weather** 날씨 **today** 오늘 **like** 좋아하다 **live** 살다 **cake** 케이크 **meet** 만나다 **café** 카페 **girl** 소녀 **room** 방 **school** 학교

Guide
Whose는 '누구의'라는 의미로 소유와 관련해 질문할 때 사용합니다.

1 다음 대답의 질문으로 알맞은 것에 ○표를 하세요.

	Answer		Question
01	I'm good, thanks.	○	How do you feel today?
			How do you go to school?
02	It's my mom's car.		Whose car is that?
			Who is he in the car?
03	He's my brother.		Whose car is that?
			Who is he in the car?
04	I go to school by bus.		How do you go to school?
			Who do you like?
05	It's sunny today.		How do you feel today?
			How is the weather?
06	She is talking with Sam.		Who is your mom talking with?
			Who does she like?
07	He met James.		Who does he meet after school?
			Who did he meet yesterday?
08	They are mine.		Whose pencils are those?
			Who is the man?
09	I took a taxi.		How did you go to the airport?
			Whose car is this?
10	I'm going to meet Tom.		Who are you going to meet after school?
			Who did you meet yesterday?
11	She loves John.		Who did she love?
			Who does she love?
12	Medium, please.		How are you today?
			How do you like your steak?

WORDS

car 자동차 **bus** 버스 **sunny** 맑은 **weather** 날씨 **talk with** ~와 말하다 **after school** 방과 후에 **yesterday** 어제 **airport** 공항 **meet** 만나다 **love** 사랑하다 **medium** 중간의 **steak** 스테이크

How는 '어떠한', '어떻게'라는 의미로 상태, 방법에 관한 질문에 사용합니다.

1 다음 대화의 빈칸에 알맞은 의문사를 쓰세요.

01 A: ___Who___ is that woman in the living room?
B: She's my aunt.

02 A: __________ does he go to school?
B: He walks.

03 A: __________ book is this?
B: It's my book.

04 A: __________ are those people over there?
B: They are doctors.

05 A: __________ does Sam like?
B: He likes Jenny.

06 A: __________ are your parents?
B: They are fine, thanks.

07 A: __________ did you solve the problem?
B: My mom helped me.

08 A: __________ does he work with?
B: He works with Tony.

09 A: __________ do you teach English?
B: I teach Tom and Susie.

10 A: __________ did they go to the museum?
B: They took the subway.

11 A: __________ is the weather today?
B: It's cloudy.

12 A: __________ is she living with?
B: She is living with her parents.

WORDS

living room 거실 **aunt** 고모 **people** 사람들 **there** 저기 **parents** 부모 **thank** 고마워하다 **solve** 풀다 **problem** 문제 **help** 돕다 **museum** 박물관 **subway** 지하철 **weather** 날씨

Chapter 12 Who/What 주어 역할

Who의 주어 역할

의문사 Who가 '누구'로 해석되어 의문문에서 주어로 사용될 수 있으며, 그 형태는 다음과 같습니다.

Who (사람 - 누가)	+be동사+형용사/장소?	**Who is** smart? 누가 똑똑하니? **Who is** in the room? 누가 방 안에 있니?
	+be동사+-ing ~?	**Who is** singing now? 누가 지금 노래하고 있니?
	+동사 ~?	**Who came** to the party? 누가 파티에 왔니?
	+조동사+동사원형 ~?	**Who can** speak Korean? 누가 한국어로 말할 수 있니?

What의 주어 역할

의문사 What이 주로 '무엇이'로 해석되어 의문문에서 주어로 사용될 수 있으며, 그 형태는 다음과 같습니다.

What (사물 - 무엇이)	+be동사+형용사 ~?	**What is** different from it? 무엇이 그것과 다르니?
	+be동사+장소 ~?	**What is** in the box? 상자에 무엇이 있니?
	+동사 ~?	**What happened** yesterday? 어제 무슨 일이 있었니? **What makes** you sad? 무엇이 너를 슬프게 하니?

Tips

- 의문사가 주어 역할을 할 경우 3인칭 단수 취급을 합니다. 따라서 일반동사 현재형에는 -s나 -es를 붙여야 합니다.
  What comes to your mind? 무슨 생각이 떠오르니?
- 의문사는 문장에서 주어 이외에 목적어, 보어, 부사 역할을 합니다.
  What is he doing now? 그는 지금 무엇을 하고 있니? (What - 목적어 역할)
  Who is he? 그는 누구니? (Who - 보어 역할)
  Where are you going? 너는 어디에 가니? (Where - 부사 역할)

Who가 '누구'로 해석되어 의문문에서 주어로 사용될 수 있습니다.

1 다음 우리말과 일치하도록 괄호 안에서 알맞은 것을 고르세요.

01 (Who / What) did it yesterday?
누가 어제 그것을 했니?

02 Who (attends / attended) the meeting last week?
누가 지난주에 회의에 참석했니?

03 Who (is / are) in the classroom?
누가 교실에 있니?

04 (What / Who) is on the table?
무엇이 식탁 위에 있니?

05 (What / Who) made him sad?
무엇이 그를 슬프게 만들었니?

06 Who (will / can) answer the question?
누가 질문에 답할 거니?

07 Who (will / can) fix the computer?
누가 그 컴퓨터를 고칠 수 있니?

08 Who (breaking / broke) the window?
누가 창문을 깨트렸니?

09 Who (help / helps) his mom?
누가 그의 엄마를 돕니?

10 Who is (sings / singing) in the room?
누가 방에서 노래를 부르고 있니?

11 (What / Who) changed his plan?
무엇이 그의 계획을 바꿨니?

12 (What / Who) happened to him yesterday?
무슨 일이 어제 그에게 생겼니?

WORDS

attend 참석하다 **meeting** 미팅, 회의 **week** 주, 일주일 **classroom** 교실 **answer** 대답하다 **question** 질문 **fix** 고치다 **break** 깨뜨리다 **window** 창문 **change** 바꾸다 **plan** 계획 **happen** 일어나다

Guide

What이 '무엇이'로 해석되어 의문문에서 주어로 사용될 수 있습니다.

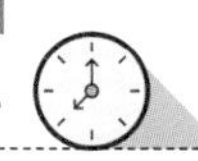

1 다음 영어를 우리말로 쓰세요.

01 Who used my computer?

→ 누가 내 컴퓨터를 사용했니?

02 Who can attend the meeting?

→

03 What is in the box?

→

04 Who is in the gym?

→

05 Who can speak English?

→

06 Who will solve the problem?

→

07 Who invited you to the party?

→

08 Who saw you at the restaurant?

→

09 What can make him happy?

→

10 Who is watching TV now?

→

11 Who sent the flowers to her?

→

12 Who will make a birthday cake?

→

WORDS

use 사용하다 **attend** 참석하다 **gym** 체육관 **speak** 말하다 **solve** 풀다 **invite** 초대하다 **party** 파티 **restaurant** 식당 **happy** 행복한 **send** 보내다 **flower** 꽃 **birthday cake** 생일 케이크

Practice 3

Guide
Who와 What이 주어 역할을 할 경우 3인칭 단수 취급을 합니다.

1 다음 우리말과 일치하도록 주어진 단어를 바르게 배열하세요. (필요한 의문사는 직접 쓰세요.)

01 누가 수족관에 갔니? (went / the aquarium / to)
→ Who went to the aquarium?

02 누가 박물관을 방문할 거니? (will / the museum / visit)
→ ______________________

03 무엇 때문에 너는 그렇게 늦었니? (took / so long / you)
→ ______________________

04 누가 거실에 있니? (in / the living room / is)
→ ______________________

05 무엇이 그의 결심을 바꿀 수 있니? (change / his decision / can)
→ ______________________

06 누가 줄리하고 얘기하고 있니? (talking / is / with)
→ ______________________ Julie?

07 무엇이 그를 화나게 했니? (him / angry / made)
→ ______________________

08 무엇이 그녀를 행복하게 할 수 있니? (her / can / make)
→ ______________________ happy?

09 누가 나의 지갑을 찾았니? (my / found / wallet)
→ ______________________

10 누가 나를 역에 데려다 줄 수 있니? (can / to the station / take me)
→ ______________________

11 누가 버스를 운전할 거니? (the bus / will / drive)
→ ______________________

12 무엇이 하늘에서 떨어지고 있니? (falling / from / is)
→ ______________________ the sky?

WORDS
aquarium 수족관, 아쿠아리움 **museum** 박물관 **visit** 방문하다 **living room** 거실 **change** 바꾸다 **decision** 결심 **angry** 화난 **happy** 행복한 **wallet** 지갑 **station** 역 **fall** 떨어지다 **sky** 하늘

Review Test 3

Chapter 09-12

공부한 날 :　　　　　　부모님 확인 :

【01~02】 다음 중 우리말과 일치하도록 빈칸에 알맞은 것을 고르세요.

01> ________ do you want to drink, coffee or tea?
너는 어느 것을 마시길 원하니, 커피 아니면 차?

① What　② When　③ Which
④ Why　⑤ Where

02> ________ are you doing?
너는 뭐하고 있니?

① What　② When　③ Who
④ Why　⑤ Where

【03~04】 다음 중 대화의 빈칸에 알맞은 것을 고르세요.

03> A: What ________ of food do you like?
B: I like pizza.

① sport　② color　③ pizza
④ animal　⑤ kind

04> A: ____________ yesterday?
B: I went to shopping.

① What are you doing
② What did you read
③ What did you buy
④ What did you eat
⑤ What did you do

05> 다음 중 우리말을 영어로 바르게 쓴 것을 고르세요.

너는 시장에 왜 갔니?

① When did you go to the market?
② What did you buy at the market?
③ Where is the market?
④ Who did you go to the market with?
⑤ Why did you go to the market?

【06~08】 다음 중 대화의 빈칸에 알맞은 것을 고르세요.

06> A: ________ were you late yesterday?
B: I got up late.

① What　② When　③ Who
④ Why　⑤ Where

07> A: ________ are you going now?
B: I'm going to the beach.

① What　② When　③ Who
④ Why　⑤ Where

08> A: ________ is your birthday?
B: It's May 15th.

① What　② When　③ Who
④ Why　⑤ Where

09› 다음 중 두 문장이 의미가 같도록 빈칸에 알맞은 것을 고르세요.

When did you get up?
= __________ did you get up?

① What ② Where
③ Who ④ What time
⑤ What kind

【10~11】 다음 중 보기의 대답에 알맞은 질문을 고르세요.

10› She is in her room.

① What is your sister doing?
② Where is your sister?
③ What is in the box?
④ What time does she get up?
⑤ What kind of music does she like?

11› It starts at 11:30.

① When is your birthday?
② Where is the shopping mall?
③ When does the movie start?
④ Where did you go yesterday?
⑤ What kind of music do you like?

12› 다음 중 우리말을 영어로 바르게 쓴 것을 고르세요.

제인은 점심으로 무엇을 먹었니?

① What does Jane do?
② When does Jane eat lunch?
③ When is her lunch time?
④ Who did Jane eat lunch with?
⑤ What did Jane eat for lunch?

【13~16】 다음 중 대화의 빈칸에 알맞은 것을 고르세요.

13›
A: __________ is she?
B: She is my mom.

① What ② When ③ Who
④ Why ⑤ Where

14›
A: __________ car is this?
B: It's mine.

① How ② When ③ Who
④ Why ⑤ Whose

15›
A: __________ are you today?
B: I'm good.

① How ② When ③ Who
④ Why ⑤ Where

16›
A: __________ is the weather today?
B: It's sunny.

① How ② When ③ Who
④ Why ⑤ Where

17> 다음 중 What의 쓰임이 다른 것을 고르세요.

① What are you doing?
② What did he eat for dinner?
③ What did you do last night?
④ What is in the box?
⑤ What are you reading?

【18~20】 다음 중 대화의 빈칸에 알맞은 것을 고르세요.

18>
A: ________ is in the box?
B: There are some apples.

① What ② When ③ Who
④ Why ⑤ Where

19>
A: ________ is singing now?
B: Mike is singing.

① How ② When ③ Who
④ Why ⑤ Where

20>
A: ________ will attend the meeting?
B: I will attend the meeting.

① How ② When ③ Who
④ Why ⑤ Where

【21~22】 다음 중 우리말을 영어로 바르게 쓴 것을 고르세요.

21>
누가 내 컴퓨터를 사용했니?

① Who is using my computer?
② Who used my computer?
③ Why did you use my computer?
④ Where did you buy the computer?
⑤ Whose computer is this?

22>
무엇이 그를 슬프게 만들었니?

① Why was he sad?
② What made him sad?
③ What is making him sad?
④ Who can make him sad?
⑤ Why did you make him sad?

23> 다음 중 보기의 대답에 알맞은 질문을 고르세요.

It's next to the bank.

① Where is the bakery?
② Where is your sister?
③ Who is in the bank?
④ What time does the bank open?
⑤ What did you do at the bank?

【24~27】 다음 그림을 보고 빈칸에 알맞은 말을 쓰세요.

24›

A: ________ do you go to school?
B: I go to school by bus.

→ ________________

25›

A: ________ is on the table?
B: There is some bread on the table.

→ ________________

26›

A: ________ bag is this?
B: It's my mom's bag.

→ ________________

27›

A: ________ do you like better, baseball or basketball?
B: I like baseball.

→ ________________

【28~29】 다음 우리말과 일치하도록 주어진 단어를 이용하여 문장을 완성하세요.

28›

너는 무슨 종류의 음악을 좋아하니?
(what / music / kind / of)

→ ________________ do you like?

29›

그녀는 왜 영어를 배우니?
(does / learn / why / she)

→ ________________ English?

30› 다음 영어를 우리말로 쓰세요.

Who is watching TV now?

→ ________________

Chapter 13 동사의 쓰임

1 동사의 쓰임

동사는 명사와 함께 문장을 만드는 가장 기본적인 재료가 됩니다. 동사의 쓰임에 따라 뒤에 명사가 오거나 형용사가 올 수 있습니다. 또는 명사나 형용사 없이 수식어가 올 수도 있습니다.

He **has** **a car**. 그는 자동차를 가지고 있다.
동사 명사(목적어)

He **looks** **young**. 그는 젊어 보인다.
동사 형용사

He **goes** **to the library**. 그는 도서관에 간다.
동사 수식어

Tips

- 수식어란 내용을 좀 더 풍부하고 자세히 표현하기 위해 사용하는 말입니다. 수식어는 단어 하나로 표현할 수도 있고 2개 이상의 단어로 표현할 수도 있습니다.
- 목적어란 동사의 직접적인 대상이 되는 명사를 의미하며, 보통 '~을', '~를' 등으로 해석합니다. 목적어는 동사 다음에 위치합니다.

2 명사(목적어)와 함께하는 동사

다음 동사들 다음에는 명사가 와서 목적어 역할을 합니다.

want	~을 원하다, 바라다	I **want** some apples. 나는 사과를 좀 원한다.
eat	~을 먹다	I **ate** some cookies. 나는 쿠키를 좀 먹었다.
attend	~에 참석하다	She **attended** the meeting. 그녀는 회의에 참석했다.
make	~을 만들다	Sam **made** a kite. 샘은 연을 만들었다.
order	~을 주문하다	We **ordered** pizza. 우리는 피자를 주문했다.
enter	~에 들어가다	I **entered** the room. 나는 방에 들어갔다.
watch	~을 보다	She **watched** the soccer game on TV. 그녀는 TV로 축구경기를 보았다.

3 명사(목적어) 없이 쓰는 동사

다음 동사들은 목적어 없이 사용하며, 수식어구와 함께 합니다.

go	가다	We **go** to the museum. 우리는 박물관에 간다.
arrive	도착하다	He **arrived** at the hotel. 그는 호텔에 도착했다.
rise	상승하다, 오르다	The sun **rises** in the east. 태양은 동쪽에서 떠오른다.
sit	앉다	She is **sitting** on the sofa. 그녀는 소파에 앉아 있다.

쓰임에 따라 명사가 필요하거나 필요 없는 동사

open	열리다 / ~을 열다	The door **opened.** 그 문이 열렸다. I **opened** the door. 나는 문을 열었다.
break	깨지다 / ~을 깨트리다	Glass **breaks** easily. 유리는 쉽게 깨진다. He **broke** the vase. 그가 꽃병을 깨뜨렸다.
walk	걷다 / ~을 산책시키다	She **walks** slowly. 그녀는 천천히 걷는다. She **walks** her dog. 그녀는 개를 산책시킨다.
sing	노래하다 / ~을 노래 부르다	Cathy **sings** well. 캐시는 노래를 잘한다. They **sang** Christmas carols. 그들은 크리스마스 캐롤을 불렀다.

Guide 동사의 쓰임에 따라 뒤에 명사나 형용사, 수식어가 올 수 있습니다.

1 다음 문장에서 목적어가 있는 문장에 ○표, 없는 문장에 X표 하세요.

01 I like Korean food. → ○
나는 한국 음식을 좋아한다.

02 We arrived at the airport. → ______
우리는 공항에 도착했다.

03 The store opens at 9 o'clock. → ______
그 상점은 9시에 연다.

04 My dad bought a new car. → ______
나의 아빠는 새 자동차를 샀다.

05 Teddy sat on the box. → ______
테디는 상자 위에 앉았다.

06 He put his wallet on the desk. → ______
그는 지갑은 책상 위에 놓았다.

07 She ordered new furniture. → ______
그녀는 새로운 가구를 주문했다.

08 He broke my heart. → ______
그는 나의 마음을 아프게 했다.

WORDS

Korean food 한국 음식 **arrive** 도착하다 **airport** 공항 **store** 상점 **bought** 사다(buy)의 과거형 **sat** 앉다(sit)의 과거형 **wallet** 지갑 **order** 주문하다 **furniture** 가구 **heart** 마음

Guide

특정 동사들 다음에는 명사가 와서 목적어 역할을 합니다.

1 다음 괄호 안에서 알맞은 것을 고르세요.

01 I (want / go) some water.

02 He goes (the museum / to the museum) every Sunday.

03 My sister (walks / watches) fast.

04 He talked (his teacher / with his teacher).

05 She (ordered / ordered to) a new dress.

06 The temperature rises (summer / in summer).

07 Who is (sitting / making) on the sofa?

08 He (sings / breaks) well.

09 She (rose / opened) the window.

10 Alice (answered / answered to) the question.

11 She (attended / attended to) the meeting yesterday.

12 The students are entering (the house / into the house).

13 The museum (opens / attends) from Monday to Friday.

14 We are (making / making to) pizza.

15 She walks (school / to school).

WORDS

every Sunday 일요일마다 **order** 주문하다 **temperature** 기온 **break** 깨다 **answer** 대답하다 **question** 질문 **attend** 참석하다 **meeting** 회의 **enter** 들어가다 **museum** 박물관

쓰임에 따라 명사가 필요하거나 필요 없는 동사도 있습니다.

1 다음 영어를 우리말로 해석하세요.

01 They walked along the river.
→ 그들은 강을 따라 걸었다.

02 Sara walks her dog in the afternoon.
→

03 This car sells well.
→

04 They sell used cars.
→

05 He opened his mouth.
→

06 The zoo opens at 10 a.m.
→

07 My sister sings well.
→

08 My friends will sing “Nella Fantasia.”
→

09 Birds are singing in the woods.
→

10 The Earth moves around the Sun.
→

11 She moved the box to her room.
→

12 Tom entered his room.
→

WORDS

along ~을 따라 river 강 afternoon 오후 sell 팔다 used car 중고차 mouth 입 zoo 동물원 woods 숲 Earth 지구 around 주위에 Sun 태양 move 옮기다 enter 들어가다

Chapter 14 감각동사

1 감각동사의 의미

감각동사란 보이고, 냄새 맡아지고, 들리고, 맛이 느껴지는 등 느낌이 드는 동사들을 말합니다. 이러한 동사는 형용사와 함께 오감을 표현합니다. 감각동사에는 look(보이다), feel(느끼다), sound(들리다), smell(냄새 맡다), taste(맛보다) 등이 있습니다.

look + 형용사	~해 보이다	He **looks** old. 그는 나이 들어 보인다.
feel + 형용사	~한 기분이 들다	I **feel** happy. 나는 행복한 기분이 든다.
sound + 형용사	~하게 들리다	It **sounds** beautiful. 그것은 아름답게 들린다.
smell + 형용사	~의 냄새가 나다	The soup **smells** really nice. 수프에서 정말 좋은 냄새가 난다.
taste + 형용사	~의 맛이 나다	This **tastes** good. 이것은 좋은 맛이 난다.

2 감각동사 + like + 명사

감각동사는 like와 함께 해서 [감각동사+형용사]와는 다른 의미를 표현할 수 있습니다. 여기서 like는 전치사로 '~처럼'이란 의미이며 뒤에 명사가 옵니다.

look like + 명사	~처럼 보이다	She **looks like** an angel. 그녀는 천사처럼 보인다.
sound like + 명사	~처럼 들리다	It **sounds like** a good plan. 그것은 좋은 계획처럼 들린다.
feel like + 명사	~한 느낌이다 ~을 하고 싶다	This **feels like** silk. 이것은 비단 느낌이다. I **feel like** some snacks. 나는 간식을 좀 먹고 싶다.
smell like + 명사	~의 냄새 나다 ~ 같은 냄새가 나다	This **smells like** coffee. 이것에서 커피 냄새가 난다.
taste like + 명사	~의 맛이 나다 ~ 같은 맛이 나다	It **tastes like** banana. 그것에서 바나나 맛이 난다.

Tips [don't feel like+-ing]는 '~하고 싶지 않다'라는 의미입니다.
I don't feel like drinking coffee. 나는 커피를 마시고 싶지 않다.

감각동사는 형용사와 함께 해서 오감을 표현합니다.

1 다음 괄호 안에서 알맞은 것을 고르세요.

01 She (looks / looks like) angry.
그녀는 화가 나 보인다.

02 His plan (looks / looks like) perfect.
그의 계획은 완벽해 보인다.

03 I (feel / feel like) some coffee.
나는 커피 좀 마시고 싶다.

04 That (sounds / sounds like) great.
그것은 멋지게 들린다.

05 She (feels / feels like) good today.
그녀는 오늘 기분이 좋다.

06 It (sounds / sounds like) thunder.
그것은 천둥소리처럼 들린다.

07 It (smells / smells like) good.
그것은 좋은 냄새가 난다.

08 This soup (tastes / tastes like) really nice.
이 수프는 정말로 좋은 맛이 난다.

09 They (look / look like) real flowers.
그것들은 진짜 꽃처럼 보인다.

10 This (tastes / tastes like) cheese.
이것은 치즈 같은 맛이 난다.

11 Her voice (sounds / sounds like) different today.
그녀의 목소리가 오늘 다르게 들린다.

12 I don't (feel / feel like) taking a walk.
나는 산책하고 싶지 않다.

WORDS

angry 화난 **plan** 계획 **perfect** 완벽한 **great** 멋진 **thunder** 천둥 **really** 정말로 **real** 진짜의 **flower** 꽃 **cheese** 치즈 **voice** 목소리 **different** 다른 **take a walk** 산책하다

[감각동사+like+명사]나 [감각동사+형용사] 형태로 씁니다.

1 다음 주어진 단어를 이용하여 빈칸에 알맞은 말을 쓰세요.

01 feel → She ___feels like___ a bird.
She ___feels___ good.

02 sound → It ________ thunder.
It ________ strange.

03 look → The flowers ________ real.
They ________ twins.

04 smell → It ________ sweet.
It ________ fish.

05 taste → The soup ________ salty.
This bread ________ coffee.

06 look → The building ________ a ship.
This bag ________ bigger than that bag.

07 feel → He doesn't ________ happy.
He doesn't ________ singing.

08 look → You ________ your mother.
My mom ________ young for her age.

09 smell → Roses ________ good.
They ________ roses.

10 sound → His plan ________ a good idea.
His plan ________ interesting.

11 taste → The candy ________ sweet.
The candy ________ watermelon.

12 sound → Her voice ________ a robot.
Her voice ________ very beautiful.

WORDS
strange 이상한 **twins** 쌍둥이 **sweet** 달콤한 **fish** 생선 **soup** 수프 **building** 건물 **ship** 배 **young** 어린 **age** 나이 **rose** 장미 **idea** 생각 **candy** 사탕 **watermelon** 수박 **voice** 목소리 **robot** 로봇

Guide

감각동사에는 look, smell, sound, taste, feel 등이 있습니다.

1 다음 밑줄 친 부분을 바르게 고치세요. (고칠 필요가 없는 곳에는 ○표 하세요.)

01 The watch looks like expensive. → looks
그 시계는 비싸 보인다.

02 The lemon tastes like sour. → ____________
레몬은 신맛이 난다.

03 I feel like comfortable. → ____________
나는 편안함을 느낀다.

04 This feels real leather. → ____________
이것은 진짜 가죽 느낌이 난다.

05 They look like serious. → ____________
그들은 심각해 보인다.

06 These cookies taste cheese. → ____________
이 쿠키에서 치즈 맛이 난다.

07 He looks like a good boy. → ____________
그는 착한 소년처럼 보인다.

08 The cake tastes really good. → ____________
그 케이크는 정말 맛이 좋다.

09 His plan sounds like quite simple. → ____________
그의 계획은 매우 단순하게 들린다.

10 I don't feel going outside. → ____________
나는 밖에 나가고 싶지 않다.

11 Alice doesn't feel like good today. → ____________
앨리스는 오늘 기분이 좋지 않다.

12 They smell like a rose. → ____________
그것들에서 장미 냄새가 난다.

WORDS

expensive 비싼 lemon 레몬 sour 신 comfortable 편안한 leather 가죽 serious 심각한 cookie 쿠키 really 정말로 plan 계획 quite 꽤 simple 간단한 outside 밖 rose 장미

Chapter 15 수여동사

1 수여동사의 의미

수여동사란 '수여하는 동사'라는 의미로 '뭔가를 누구에게 주는 의미의 동사'입니다. 이러한 동사는 목적어가 2개 필요하며 '주어가 ~(사람)에게 …를 해주다'라는 의미를 가지고 있습니다.

He **gave** me a present. 그는 내게 선물을 주었다.
I **bought** him a camera. 나는 그에게 카메라를 사주었다.

2 수여동사 + 명사(사람) + 명사(사물)

수여동사에는 give(주다), send(보내다), buy(사다), make(만들다), show(보여주다), teach(가르치다) 등이 있습니다.

give + 명사(사람) + 명사(사물)(~에게 …을 주다)	David **gave** me a bag. 데이비드가 나에게 가방을 주었다.
send + 명사(사람) + 명사(사물) (~에게 …을 보내다)	He **sent** her an email. 그는 그녀에게 이메일을 보냈다.
buy + 명사(사람) + 명사(사물)(~에게 …을 사주다)	I **bought** her a ring. 나는 그녀에게 반지를 사주었다.
make + 명사(사람) + 명사(사물) (~에게 …을 만들어 주다)	She **made** me some cookies. 그녀가 나에게 과자를 좀 만들어 주었다.
show + 명사(사람) + 명사(사물) (~에게 …을 보여주다)	Kevin **showed** me some photos. 케빈은 나에게 몇 장의 사진을 보여주었다.
teach + 명사(사람) + 명사(사물) (~에게 …을 가르치다)	Mr. Brown **teaches** us English. 브라운 선생님이 우리에게 영어를 가르치신다.

3 수여동사 + 명사(사물) + to/for + 명사(사람)

[수여동사+명사(사람)+명사(사물)]를 [수여동사+명사(사물)+to/for+명사(사람)]으로 바꿀 수 있습니다.

주어 + 동사 + 명사(사람) + 명사(사물)

주어 + 동사 + 명사(사물) + to/for+명사(사람)

Jane taught us math. 제인은 우리에게 수학을 가르쳐 주었다.
→ Jane **taught** math **to** us.

Mom made me cheese sandwiches. 엄마는 나에게 치즈 샌드위치를 만들어 주셨다.
→ Mom **made** cheese sandwiches **for** me.

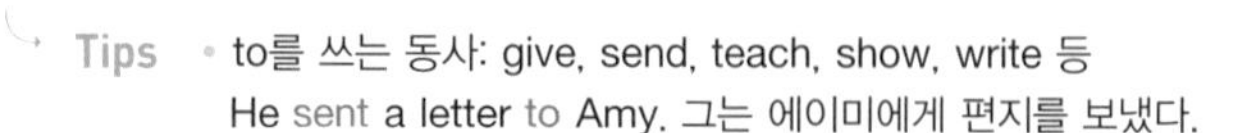

Tips
- to를 쓰는 동사: give, send, teach, show, write 등
  He sent a letter to Amy. 그는 에이미에게 편지를 보냈다.
- for를 쓰는 동사: make, buy, cook 등
  He bought a cake for his son. 그는 아들에게 케이크를 사주었다.

to를 쓰는 수여동사에는 give, send, teach, show, write 등이 있습니다.

1 다음 괄호 안에서 알맞은 것을 고르세요.

01 She showed her pictures (to / for) him.
그녀는 그에게 그녀의 사진을 보여주었다.

02 She bought a cake (to / for) me.
그녀는 내게 케이크를 사주었다.

03 He made (his wife a table /a table his wife).
그는 아내에게 식탁을 만들어 주었다.

04 He gave (me his bicycle / his bicycle me).
그는 나에게 그의 자전거를 주었다.

05 He teaches English (to / for) the children.
그는 그 아이들에게 영어를 가르친다.

06 Show it (to / for) your parents.
그것을 너의 부모님에게 보여줘라.

07 My mother sent (some money me / me some money) last week.
어머니가 지난주 내게 돈을 좀 보내주셨다.

08 I write (a letter him / a letter to him) once a month.
나는 그에게 한 달에 한 번 편지를 쓴다.

09 Amy sent some flowers (to / for) her friend.
에이미는 친구에게 꽃을 좀 보냈다.

10 Please give (me a cup of coffee / a cup of coffee me).
내게 커피 한 잔 주세요.

11 She made some sandwiches (to / for) us.
그녀는 우리에게 샌드위치를 좀 만들어 주었다.

12 Will you buy (me that shirt / me for that shirt)?
내게 저 셔츠를 사주겠니?

WORDS

show 보여주다 **picture** 사진 **wife** 아내 **bicycle** 자전거 **children** 아이들 **parents** 부모 **letter** 편지 **once** 한 번 **month** 달, 월 **sent** 보내다(send)의 과거형 **sandwich** 샌드위치 **shirt** 셔츠

for를 쓰는 수여동사에는 make, buy, cook 등이 있습니다.

1 다음 문장을 보기처럼 바꿔 쓰세요.

The boy gave me a pencil.
→ The boy gave a pencil to me.

01 He made her a doll.

→ He made a doll for her.

02 She sent him a birthday card.

→ ______________________

03 He showed them his bag.

→ ______________________

04 She teaches me English.

→ ______________________

05 He will write his mom a letter.

→ ______________________

2 다음 빈칸에 알맞은 전치사를 쓰세요.

01 He made some pizza ___for___ his friends.
그는 친구들에게 피자를 좀 만들어 주었다.

02 I sent some cookies ________ my dad.
나는 아빠에게 쿠키를 좀 보냈다.

03 My uncle showed his car ________ me.
나의 삼촌은 내게 그의 자동차를 보여주었다.

04 I bought a used car ________ her.
나는 그녀에게 중고차를 사주었다.

05 I will give a birthday present ________ you.
나는 너에게 생일 선물을 줄 것이다.

WORDS

doll 인형 **birthday** 생일 **card** 카드 **show** 보여주다 **English** 영어 **write** 쓰다 **letter** 편지 **uncle** 삼촌 **bought** 사다(buy)의 과거형 **used car** 중고차 **present** 선물

Practice 3

Guide

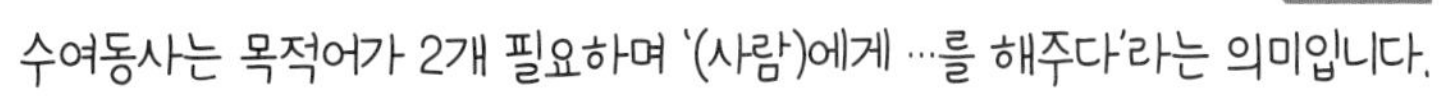
수여동사는 목적어가 2개 필요하며 '(사람)에게 …를 해주다'라는 의미입니다.

1 다음 우리말과 일치하도록 주어진 단어를 바르게 배열하여 문장을 완성하세요.

01 그는 우리에게 역사를 가르치셨다. (us / taught / history / he)

→ He taught us history.

02 나는 그녀에게 약간의 빵을 보내줄 것이다. (some bread / will send / her / I)

→ ______________________

03 그녀는 우리에게 그녀의 사진을 보여주었다. (us / to / showed / she / her photos)

→ ______________________

04 캐시는 엄마에게 생일 카드를 썼다. (to / a birthday card / wrote / her mom / Cathy)

→ ______________________

05 신디는 나에게 드레스를 만들어 주었다. (me / made / a dress / Cindy / for)

→ ______________________

06 나는 그녀에게 크리스마스카드를 보냈다. (sent / a Christmas card / I / her / to)

→ ______________________

07 토니는 그에게 생일 케이크를 사주었다. (a birthday cake / Tony / bought / him)

→ ______________________

08 나의 아버지는 나에게 새 컴퓨터를 사주셨다. (my father / for / a new computer / me / bought)

→ ______________________

09 그녀는 우리에게 맛있는 음식을 요리해 주었다. (cooked / for / delicious / she / food / us)

→ ______________________

10 윌슨 선생님은 우리에게 과학을 가르치신다. (teaches / Mr. Wilson / science / us / to)

→ ______________________

11 나의 엄마는 내게 팬케이크를 만들어 주셨다. (my mom / me / some pancakes / made)

→ ______________________

12 그녀는 어제 내게 시를 써주었다. (a poem / wrote / she / me / yesterday)

→ ______________________

WORDS

taught 가르치다(teach)의 과거형 **history** 역사 **bread** 빵 **photo** 사진 **dress** 드레스 **Christmas** 크리스마스 **cake** 케이크 **delicious** 맛있는 **science** 과학 **pancake** 팬케이크 **poem** 시

동명사/진행형

1 동명사의 의미와 쓰임

동명사란 동사에 -ing를 붙여 명사로 사용하는 것으로 '~하는 것'으로 해석합니다. 동명사는 명사 역할을 하기 때문에 명사가 올 수 있는 자리(주어, 목적어, 보어)에 나옵니다.

주어 역할	**Listening** to music is my hobby. 음악을 듣는 것이 나의 취미이다. **Speaking** English is very difficult. 영어로 말하는 것은 매우 어렵다.
목적어 역할	He enjoys **playing** tennis. 그는 테니스 치는 것을 즐긴다. I like **reading** books. 나는 책 읽기를 좋아한다.
보어 역할	My dream is **traveling** around the world. 내 꿈은 전 세계를 여행하는 것이다. Her job is **taking** care of babies. 그녀의 일은 아기들을 돌보는 것이다.
전치사의 목적어 역할	I'm sorry for **being** late. 늦어서 미안하다. She is good at **swimming** in the sea. 그녀는 바다에서 수영을 잘한다.

Tips

- 전치사는 명사, 대명사, 동명사 앞쪽에 위치하게 되며 이때 전치사에 따라오는 명사나 대명사 등을 '전치사의 목적어'라고 합니다. 전치사 다음에 동명사가 나오는 경우는 동명사 이외에 올 수 있는 명사의 단어가 없기 때문입니다.
- I'm sorry for being late.는 "늦어서 미안하다."라는 표현으로, 이 문장에서 being을 생략하고 I'm sorry for late.라고 할 수는 없습니다. 왜냐하면 late는 형용사이고 전치사 다음에는 목적어 역할을 하는 명사나 동명사가 와야 하기 때문입니다.

2 동명사와 진행형의 -ing 구별하기

동명사는 문장 안에서 주어·목적어·보어로 사용할 수 있으며, '~하는 것'으로 해석하고, 진행형은 '~하고 있는'이라고 해석합니다.

진행형	She is **reading** a book now. 그녀는 지금 책을 읽고 있다. (~하고 있는)
동명사	Her hobby is **reading** books. 그녀의 취미는 책을 읽는 것이다. (~하는 것)
진행형	He is **driving** a bus now. 그는 지금 버스를 운전하고 있다. (~하고 있는)
동명사	His job is **driving** a bus. 그의 직업은 버스를 운전하는 것이다. (~하는 것)

Tips 보어란 '보충해 준다'는 말입니다. 주어를 보충해 주는 말을 '주격보어'라고 합니다.
She became a doctor. 그녀는 의사가 되었다. – 주어인 she를 보충 설명하는 a doctor가 보어입니다.
(주어) (동사) (보어)

동명사는 명사 역할을 하기 때문에 주어, 목적어, 보어 자리에 옵니다.

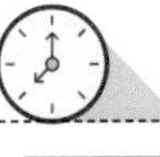

1 다음 밑줄 친 동명사의 역할을 보기에서 고르세요. (전치사의 목적어는 목적어로 분류하세요.)

01 They enjoy making cookies. 주어 / (목적어) / 보어
그들은 쿠키 만드는 것을 즐긴다.

02 Learning English is not easy. 주어 / 목적어 / 보어
영어 배우는 것이 쉽지 않다.

03 I finished doing my homework. 주어 / 목적어 / 보어
나는 숙제하는 것을 끝냈다.

04 Please stop drinking coffee at night. 주어 / 목적어 / 보어
밤에 커피 마시는 것을 중단하세요.

05 His job is washing the dishes at a restaurant. 주어 / 목적어 / 보어
그의 일은 식당에서 설거지 하는 것이다.

06 His dream is becoming a teacher. 주어 / 목적어 / 보어
그의 소망은 선생님이 되는 것이다.

07 She is interested in working here. 주어 / 목적어 / 보어
그녀는 이곳에서 일하는 것에 관심이 있다.

08 They will finish cleaning the room by six. 주어 / 목적어 / 보어
그들은 6시까지 방 청소하는 것을 끝낼 것이다.

09 Keeping a diary is difficult. 주어 / 목적어 / 보어
일기를 쓰는 것은 어렵다.

10 I'm sorry for making a mistake. 주어 / 목적어 / 보어
실수를 해서 미안하다.

11 We enjoyed listening to the music. 주어 / 목적어 / 보어
우리는 노래 듣는 것을 즐겼다.

12 Mike is very good at playing the piano. 주어 / 목적어 / 보어
마이크는 피아노를 매우 잘 친다.

WORDS

enjoy 즐기다 **learn** 배우다 **easy** 쉬운 **homework** 숙제 **job** 일 **restaurant** 식당 **dream** 소망 **be interested in** ~에 관심이 있다 **clean** 청소하다 **keep a diary** 일기를 쓰다 **difficult** 어려운 **mistake** 실수

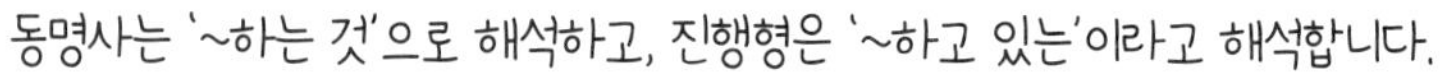

동명사는 '~하는 것'으로 해석하고, 진행형은 '~하고 있는'이라고 해석합니다.

1 다음 밑줄 친 것이 동명사면 ○표를, 진행형이면 X표를 하세요.

01 His hobby is playing computer games. → ○
그의 취미는 컴퓨터 게임을 하는 것이다.

02 Cathy is singing in her room. → ______
캐시는 그녀 방에서 노래하고 있다

03 I am proud of living in Korea. → ______
나는 한국에 사는 것이 자랑스럽다.

04 She enjoys swimming in the river. → ______
그녀는 강에서 수영하는 것을 즐긴다.

05 I'm washing the dishes. → ______
나는 설거지를 하고 있다.

06 Smoking is not good for your health. → ______
흡연은 너의 건강에 좋지 않다.

07 He is teaching English to them. → ______
그는 그들에게 영어를 가르치고 있다.

08 His dream is becoming a cook. → ______
그의 꿈은 요리사가 되는 것이다.

09 Playing soccer is always fun. → ______
축구하는 것은 항상 재미있다.

10 He is making pizza now. → ______
그는 지금 피자를 만들고 있다.

11 They were shouting. → ______
그들은 크게 소리치고 있었다.

12 He is good at selling computers. → ______
그는 컴퓨터 파는 것을 잘한다.

WORDS

hobby 취미 **proud** 자랑스러운 **river** 강 **smoking** 흡연 **health** 건강 **dream** 꿈, 소망 **become** ~이 되다 **always** 언제나 **shout** 소리치다 **be good at** ~을 잘하다

동명사란 동사에 -ing를 붙여 명사로 사용하는 것으로 '~하는 것'으로 해석합니다.

1 다음 영어를 우리말로 쓰세요.

01 Do you like playing baseball?

→ 너는 야구하는 것을 좋아하니?

02 I don't feel like drinking coffee.

→

03 She is famous for singing beautifully.

→

04 Thank you for inviting me to the party.

→

05 Her goal is becoming a movie director.

→

06 My job is selling books.

→

2 다음 우리말과 일치하도록 주어진 단어들을 바르게 배열하세요.

01 그녀는 외국어 배우는 것을 좋아한다. (likes / foreign languages / she / learning)

→ She likes learning foreign languages.

02 나의 꿈은 과학자가 되는 것이다. (dream / a scientist / becoming / my / is)

→

03 바다에서 수영하는 것은 재밌다. (in the sea / is / swimming / fun)

→

04 그녀는 친구들과 얘기하는 것을 즐긴다. (enjoys / she / with / her friends / talking)

→

05 거짓말을 하는 것은 옳지 않다. (is / wrong / lying)

→

WORDS

play baseball 야구를 하다 **famous** 유명한 **beautifully** 아름답게 **invite** 초대하다 **goal** 목표 **director** 감독 **foreign** 외국의 **language** 언어 **scientist** 과학자 **sea** 바다 **wrong** 잘못된 **lie** 거짓말하다

Review Test 4

Chapter 13-16

공부한 날 : 부모님 확인 :

【01~02】 다음 중 목적어가 없는 문장을 고르세요.

01> ① I like you.
② He had dinner at 7.
③ She ordered some pizza.
④ The store opens at 9 o'clock.
⑤ Sally entered the room.

02> ① I often go to the zoo.
② He made some cookies.
③ She cleaned her room.
④ She wants some cheese.
⑤ I play the guitar.

03> 다음 중 어색한 문장을 고르세요.

① They went to the museum yesterday.
② Mike arrived at the airport.
③ They will have lunch at noon.
④ We opened the restaurant.
⑤ He entered to the building.

04> 다음 중 빈칸에 알맞은 것을 고르세요.

David ________ well.

① makes ② sings
③ likes ④ want
⑤ does

05> 다음 중 빈칸에 어울리지 않는 것을 고르세요.

We ________ some cookies.

① made ② ordered
③ wanted ④ ate
⑤ rose

06> 다음 중 빈칸에 공통으로 알맞은 것을 고르세요.

• She ________ slowly.
• She ________ her dog.

① makes ② sings
③ walks ④ wants
⑤ does

【07~08】 다음 중 우리말과 일치하도록 빈칸에 알맞은 것을 고르세요.

07>
She ________ young.
그녀는 어려 보인다.

① feels ② smells
③ looks ④ sounds
⑤ tastes

08>
It tastes ________ a banana.
그것에서 바나나 맛이 난다.

① do ② to
③ like ④ feels
⑤ on

ANSWERS p. 47

【09~11】 다음 중 우리말을 영어로 바르게 쓴 것을 고르세요.

09› 나는 오늘 피자를 먹고 싶다.

① I look like pizza today.
② I feel like pizza today.
③ It tastes like pizza today.
④ It smells like pizza today.
⑤ It sounds like pizza today.

10› 그 건물은 로켓처럼 생겼다.

① The building looks a rocket.
② The building looks like a rocket.
③ The building feels like a rocket.
④ The building sounds like a rocket.
⑤ The building tastes like a rocket.

11› 나는 춤을 추고 싶지 않다.

① I don't feel dancing.
② I don't feel like to dance
③ I don't feel like to dancing.
④ I don't feel like dancing.
⑤ I don't feel dance.

12› 다음 중 어색한 문장을 고르세요.

① The cake tastes really good.
② These cookies smell like cheese.
③ The watch looks good.
④ I feel like happy.
⑤ They look sad.

【13~14】 다음 주어진 단어를 이용하여 빈칸에 알맞은 말을 쓰세요.

13›

Amy and Bob enjoy __________. (dance)

→ ____________________

14›

I feel like __________. (swim)

→ ____________________

【15~16】 다음 중 빈칸에 알맞은 것을 고르세요.

15› He bought some flowers __________ her.

① to ② for ③ in
④ on ⑤ out

16› She __________ some cookies for me.

① gave ② sent
③ taught ④ made
⑤ showed

17> 다음 중 올바른 문장을 고르세요.

① I gave Jane the book.
② She gave me to some cake.
③ He made a cake to me.
④ I sent a letter for her.
⑤ She made some delicious food us.

18> 다음 중 주어 역할을 하는 동명사를 고르세요.

① He likes reading books.
② We talk about traveling all over the world.
③ Learning English is not easy.
④ He likes playing soccer.
⑤ Bill is sleeping in his room.

【19~20】 다음 중 밑줄 친 부분의 쓰임이 다른 것을 고르세요.

19> ① Seeing is believing.
② Teaching is her job.
③ My hobby is collecting stamps.
④ What are you doing?
⑤ Getting up early is good for your health.

20> ① The boys enjoys fishing.
② Playing soccer is always fun.
③ Traveling to a foreign country is wonderful.
④ Sam is reading a book now.
⑤ I finished writing Christmas cards.

21> 다음 중 빈칸에 알맞은 것이 바르게 짝지어진 것을 고르세요.

- I'm interested in ________ English.
- Thank you for ________ me.

① learn - invite
② learning - invite
③ learns - invite
④ learning - inviting
⑤ to learn - invite

【22~23】 다음 중 빈칸에 어울리지 않는 것을 고르세요.

22> Alice looks ________.

① tired ② busy
③ angel ④ sleepy
⑤ sad

23> She looks like ________.

① a doll ② an angel
③ a fox ④ a cat
⑤ young

24> 다음 빈칸에 알맞은 말을 쓰세요.

(1) The boy gave a ball ________ him.
(2) We made a cake ________ her.

25> 다음 밑줄 친 부분을 바르게 고치세요.

I don't feel like talk about it now.

→ ______________________

【26~27】 다음 우리말과 일치하도록 빈칸에 알맞은 말을 쓰세요.

26>

They look ________ real flowers.
그것들은 진짜 꽃 같다.

→ ______________________

27>

She cooked dinner ________ me.
그녀는 나에게 저녁을 만들어 주었다.

→ ______________________

【28~30】 다음 문장을 보기처럼 바꾸세요.

I sent him a letter.
→ I sent a letter to him.

28>

I teach them science.

→ ______________________

29>

My father bought me a bicycle.

→ ______________________

30>

Cathy baked me some cookies.

→ ______________________

memo

memo

memo

Longman

GRAMMAR HOUSE

초등영문법

WORKBOOK & ANSWERS

Longman

GRAMMAR HOUSE

초등영문법

4

다음 단어를 3번씩 더 쓰세요.

	단어	뜻	쓰기
01	after	~ 후에	after
02	eleven	11	eleven
03	fifteen	15	fifteen
04	fifth	5번째	fifth
05	fourth	4번째	fourth
06	half	반, 절반	half
07	ninth	9번째	ninth
08	o'clock	~시	o'clock
09	past	~을 지나서	past
10	quarter	분기, $\frac{1}{4}$	quarter
11	seven	7	seven
12	six	6	six
13	sixteen	16	sixteen
14	ten	10	ten
15	tenth	10번째	tenth
16	thirteen	13	thirteen
17	thirty	30	thirty
18	to	~을 향해	to
19	twelve	12	twelve
20	two	2	two

1 다음 우리말 뜻에 해당하는 영어 단어를 쓰세요.

01 16 → ____________ 02 6 → ____________

03 ~시 → ____________ 04 4번째 → ____________

05 10 → ____________ 06 ~을 지나서 → ____________

07 ~ 후에 → ____________ 08 9번째 → ____________

09 15 → ____________ 10 ~을 향해 → ____________

11 12 → ____________ 12 10번째 → ____________

2 다음 우리말과 일치하도록 보기에서 알맞은 단어를 골라 쓰세요.

past	thirty	to	o'clock	quarter	half

01 4시 50분 → ten ____________ five

02 11시 45분 → a ____________ to twelve

03 6시 30분 → six ____________

04 절반 → a ____________

05 9시 15분 → a quarter ____________ nine

06 12시 정각 → twelve ____________

중요문법 요점정리

▶ 시각은 기수를 이용해 '____________ → 분'의 순서로 읽는 것이 원칙이나, ____________을 먼저 읽는 경우도 있습니다.

▶ 시각이 '2시 50분'일 경우 two fifty라고 읽는 대신에 '3시 10분 전'이라고도 말할 수 있습니다. 이때에는 ____________를 사용하여 ____________ to three라고 하며 '분'을 먼저 읽고 '시간'을 읽습니다.

▶ 시각이 '2시 10분'일 경우 two ten이라고 읽는 대신에 ____________나 past를 이용하여 ten after [____________] two(2시에서 10분 지났다)라고 읽을 수 있습니다. 이때에도 '분'을 먼저 읽습니다.

▶ 분수는 '____________ → 분모'의 순서로 읽으며, 분자는 기수, 분모는 ____________로 읽습니다. 이때 분자가 2 이상일 때는 분모에 -____________를 붙입니다.

Vocabulary

다음 단어를 3번씩 더 쓰세요.

	단어	뜻	쓰기
01	airport	공항	airport
02	arrive	도착하다	arrive
03	beach	해변	beach
04	bookstore	서점	bookstore
05	bridge	다리	bridge
06	butterfly	나비	butterfly
07	continue	계속하다	continue
08	country	나라, 국가	country
09	festival	축제	festival
10	fight	싸움	fight
11	forest	숲	forest
12	journey	여정, 길	journey
13	lake	호수	lake
14	mountain	산	mountain
15	plane	비행기	plane
16	river	강	river
17	send	보내다	send
18	soap	비누	soap
19	street	거리	street
20	tunnel	터널	tunnel

1 다음 우리말 뜻에 해당하는 영어 단어를 쓰세요.

01 축제 → ____________ 02 숲 → ____________
03 나라, 국가 → ____________ 04 해변 → ____________
05 계속하다 → ____________ 06 보내다 → ____________
07 서점 → ____________ 08 나비 → ____________
09 여정, 길 → ____________ 10 비행기 → ____________
11 도착하다 → ____________ 12 강 → ____________

2 다음 우리말과 일치하도록 보기에서 알맞은 단어를 골라 쓰세요.

forest airport continue bridge mountain

01 그녀는 다리를 가로질러 걷고 있다.
→ She's walking across the ____________.

02 축제는 다음 주 월요일까지 계속될 것이다.
→ The festival will ____________ until next Monday.

03 집에서 공항까지 1시간 걸린다.
→ It's an hour's journey from home to the ____________.

중요문법 요점정리

▶ 전치사란 '앞에 위치하는 품사'라는 뜻으로 반드시 ____________ 앞에 위치합니다.

▶ 시간 전치사
- ____________: ~까지(계속)
- ____________: ~까지(완료)

▶ 방향/위치 전치사
- across: ~을 가로질러, ~ 맞은편에
- ____________: ~ 사이에
- ____________: ~ 위에, 너머에
- around: ~ 주변에, ~ 주위에
- ____________: ~을 통해서, ~을 지나서
- ____________ + 도착지: ~까지, ~로
- ____________ A(장소/시간) to B(장소/시간): A에서 B까지

다음 단어를 3번씩 더 쓰세요.

	단어	뜻	쓰기
01	always	언제나	always
02	be over	끝나다	be over
03	call	전화하다	call
04	clean	청소하다	clean
05	finish	마치다	finish
06	first	처음	first
07	free	한가한	free
08	go out	나가다	go out
09	here	여기	here
10	homework	숙제	homework
11	house	집	house
12	hurry up	서두르다	hurry up
13	office	사무실	office
14	order	주문하다	order
15	quiet	조용한	quiet
16	set	(해 등이) 지다	set
17	warm-up	준비운동을 하다	warm-up
18	watch	보다	watch
19	work out	운동하다	work out
20	young	어린	young

1 다음 우리말 뜻에 해당하는 영어 단어를 쓰세요.

01 청소하다 → ____________ 02 (해 등이) 지다 → ____________

03 사무실 → ____________ 04 끝나다 → ____________

05 숙제 → ____________ 06 나가다 → ____________

07 조용한 → ____________ 08 전화하다 → ____________

09 운동하다 → ____________ 10 서두르다 → ____________

11 어린 → ____________ 12 마치다 → ____________

2 다음 우리말과 일치하도록 보기에서 알맞은 단어를 골라 쓰세요.

warm-up homework ordered always office

01 그는 숙제를 마친 후 컴퓨터 게임을 한다.
→ He plays computer games after he finishes his ____________.

02 나의 아빠는 저녁식사를 마친 후 항상 이를 닦는다.
→ My dad ____________ brushes his teeth after he finishes dinner.

03 나의 아빠가 내가 피자를 주문했을 때 집에 오셨다.
→ My dad came back home when I ____________ pizza.

중요문법 요점정리

▶ 접속사는 문장에서 단어와 ____________, 문장과 ____________을 연결하는 역할을 합니다.

▶ 접속사 When, While

• ____________ : ~할 때, ~하면 • ____________ : ~하는 동안

▶ 접속사 after, before, until

____________	~한 후에	____________	I have lunch 점심을 먹은 후에
____________	~하기 전에	____________	the sun rises 해가 뜨기 전에
____________	~할 때까지	____________	you are ready 네가 준비될 때까지

Vocabulary

다음 단어를 3번씩 더 쓰세요.

	단어	뜻	쓰기
01	best	최고의	best
02	birthday	생일	birthday
03	boring	지루한	boring
04	company	회사	company
05	expensive	비싼	expensive
06	gym	체육관	gym
07	handsome	잘생긴	handsome
08	jog	조깅하다	jog
09	know	알다	know
10	learn	배우다	learn
11	museum	박물관	museum
12	night	밤	night
13	river	강	river
14	same	같은	same
15	speak	말하다	speak
16	story	이야기	story
17	swim	수영하다	swim
18	understand	이해하다	understand
19	well	잘	well
20	yesterday	어제	yesterday

1 다음 우리말 뜻에 해당하는 영어 단어를 쓰세요.

01 체육관 → ______________
02 지루한 → ______________
03 이야기 → ______________
04 밤 → ______________
05 회사 → ______________
06 수영하다 → ______________
07 같은 → ______________
08 알다 → ______________
09 배우다 → ______________
10 최고의 → ______________
11 이해하다 → ______________
12 비싼 → ______________

2 다음 우리말과 일치하도록 보기에서 알맞은 단어를 골라 쓰세요.

yesterday	learn	same	river	handsome

01 사라와 수지는 같은 학교에 다녔어, 그렇지 않니?
→ Sara and Susie went to the ______________ school, didn't they?

02 잭과 토니는 키가 크고 잘생겼어, 그렇지 않니?
→ Jack and Tony are tall and ______________, aren't they?

03 그들은 어제 바쁘지 않았어, 그렇지?
→ They were not busy ______________, were they?

중요문법 요점정리

▶ ______________ 의문문이란 자신이 한 말에 대해 확인하고 싶거나, 상대방에게 동의를 얻기 위해 평서문 뒤에 붙이는 의문문으로 '______________?' 또는 '그렇지 않니?'로 해석합니다.

▶ 부가의문문 만드는 규칙

(1) 앞 문장이 ______________ 일 때 → 부정형의 부가의문문을 쓰고 물음표를 붙입니다.
(2) 앞 문장이 ______________ 일 때 → 긍정형의 부가의문문을 쓰고 물음표를 붙입니다.
(3) 부정형은 ______________ 으로 씁니다. → isn't / don't / can't 등
(4) 부가의문문의 주어는 앞 문장의 주어를 ______________ 대명사(he/she/they/it...)로 바꾼 형태로 씁니다.
(5) 부가의문문의 시제는 앞 문장의 시제와 ______________ 시킵니다.

Chapter 05 Vocabulary

다음 단어를 3번씩 더 쓰세요.

	단어	뜻	쓰기
01	afternoon	오후	afternoon
02	basket	바구니	basket
03	bathroom	화장실	bathroom
04	be late	늦다	be late
05	borrow	빌리다	borrow
06	cellphone	휴대전화	cellphone
07	cousin	사촌	cousin
08	fruit	과일	fruit
09	here	여기	here
10	know	알다	know
11	minute	분	minute
12	movie	영화	movie
13	picture	사진, 그림	picture
14	soon	곧	soon
15	speak	말하다	speak
16	stop	멈추다	stop
17	today	오늘	today
18	tonight	오늘 밤	tonight
19	umbrella	우산	umbrella
20	weekend	주말	weekend

1 다음 우리말 뜻에 해당하는 영어 단어를 쓰세요.

01 사촌	→	________	02 오늘	→	________
03 말하다	→	________	04 오후	→	________
05 빌리다	→	________	06 사진, 그림	→	________
07 분	→	________	08 바구니	→	________
09 주말	→	________	10 과일	→	________
11 화장실	→	________	12 우산	→	________

2 다음 우리말과 일치하도록 보기에서 알맞은 단어를 골라 쓰세요.

borrow cousin cellphone minutes weekend

01 너는 30분 동안 먹거나 마시면 안 된다.

→ You may not eat or drink for 30 ____________.

02 너는 나의 휴대전화를 사용해서는 안 된다.

→ You may not use my ____________.

03 네 우산을 빌려도 될까?

→ May I ____________ your umbrella?

중요문법 요점정리

▶ ________는 동사 ________에 쓰여 동사를 좀 더 구체적으로 표현하는 역할을 합니다. 조동사는 혼자서는 올 수 없고 반드시 뒤에 ________이 함께 와야 하며, 이때 나오는 동사를 ________라고 합니다.

▶ [may+동사원형]은 현재 또는 미래 일에 대한 약한 ________이나 ________을 나타냅니다.

▶ [may not+동사원형]은 현재 또는 미래 일에 대한 약한 추측이나 ________를 나타냅니다.

▶ [May I+동사원형 ~?]은 ________을 받는 표현으로 "~해도 될까?"의 의미입니다. 이때, May로 질문하면 ________로 답합니다.

다음 단어를 3번씩 더 쓰세요.

	단어	뜻	쓰기
01	actor	배우	actor
02	again	다시	again
03	ago	전에	ago
04	answer	대답하다	answer
05	at all	전혀	at all
06	attend	참석하다	attend
07	Christmas	크리스마스	Christmas
08	exam	시험	exam
09	finish	마치다	finish
10	flower	꽃	flower
11	gift	선물	gift
12	hour	시간	hour
13	message	메시지	message
14	online	온라인으로	online
15	pass	통과하다	pass
16	question	질문	question
17	real	진짜인	real
18	sick	아픈	sick
19	soldier	군인	soldier
20	ticket	표	ticket

1 다음 우리말 뜻에 해당하는 영어 단어를 쓰세요.

01 질문 → ______________ 02 마치다 → ______________

03 진짜인 → ______________ 04 다시 → ______________

05 메시지 → ______________ 06 표 → ______________

07 시험 → ______________ 08 참석하다 → ______________

09 시간 → ______________ 10 통과하다 → ______________

11 군인 → ______________ 12 전에 → ______________

2 다음 우리말과 일치하도록 보기에서 알맞은 단어를 골라 쓰세요.

message gift exam online sick

01 너는 온라인에서 그 표를 구매할 수 있을 것이다.
→ You will be able to buy the tickets ______________.

02 그녀에게 크리스마스 선물을 하나 주고 싶다.
→ I would like to give her a ______________ for Christmas.

03 제인은 오늘 학교에 오지 않았다. 그녀는 아픈 게 틀림없다.
→ Jane didn't come to school today. She must be ______________.

중요문법 요점정리

- must는 '~해야 한다'라는 의무 표현 이외에 '~임에 __________'라는 강한 __________을 표현할 때 사용합니다.
- can't은 '~할 수 없다'라는 가능이나 능력 표현 이외에 '~일 리가 __________'라는 __________을 표현할 때 사용합니다.
- [will be __________ to+동사원형]은 '~할 수 있을 것이다'라는 의미로 미래의 __________이나 능력을 예측할 때 사용합니다. 조동사는 두 개를 연속해서 사용할 수 없으므로 will can으로 바꿔 쓸 수 __________.
- [would __________ to+동사원형]은 소망을 의미하는 표현으로 '~하고 싶다', '~했으면 __________' 라는 뜻으로 want to보다 공손하고, 격식을 갖춘 표현입니다.

Vocabulary

다음 단어를 3번씩 더 쓰세요.

	단어	뜻	쓰기
01	brave	용감한	brave
02	cheap	싼	cheap
03	comfortable	편안한	comfortable
04	dangerous	위험한	dangerous
05	difficult	어려운	difficult
06	dirty	더러운	dirty
07	expensive	비싼	expensive
08	famous	유명한	famous
09	health	건강	health
10	heavy	무거운	heavy
11	house	집	house
12	important	중요한	important
13	interesting	재미있는	interesting
14	knife	칼	knife
15	money	돈	money
16	musician	음악가	musician
17	pretty	예쁜, 꽤	pretty
18	quick	빠른, 빨리	quick
19	son	아들	son
20	strong	강한	strong

1 다음 우리말 뜻에 해당하는 영어 단어를 쓰세요.

01 아들 → ________ 02 위험한 → ________

03 예쁜, 꽤 → ________ 04 건강 → ________

05 빠른, 빨리 → ________ 06 싼 → ________

07 무거운 → ________ 08 칼 → ________

09 돈 → ________ 10 집 → ________

11 유명한 → ________ 12 더러운 → ________

2 다음 우리말과 일치하도록 보기에서 알맞은 단어를 골라 쓰세요.

musician interesting knife comfortable heavy

01 이 책이 저 책보다 더 재미있다.

→ This book is more ________ than that book.

02 이 소파가 저 의자보다 더 편안하다.

→ The sofa is more ________ than that chair.

03 그는 그녀보다 더 위대한 음악가이다.

→ He is a greater ________ than her.

중요문법 요점정리

▶ ________ 이란 두 개의 물건 혹은 두 사람 사이에서 상태나, 성질이 어떤 것이 더 나은지 혹은 더 못한지를 표현하는 것으로, '________ ~하다'라는 의미를 가지고 있습니다. 비교급은 ________ 나 부사의 모양에 변화를 주어 그 차이를 표현합니다.

▶ 비교급을 이용하여 사물이나 사람의 상태나 성질 등을 비교할 때 [원급 + (e)r + ________ + 비교대상] 또는 [________ + 원급 + than + 비교대상]을 이용하여 표현합니다. 원급이란 형용사나 부사의 ________ 모습을 의미합니다.

원급+(e)r+than	He is ________ Sam. 그는 샘보다 키가 더 크다.
more+원급+than	Health is ________ money. 건강이 돈보다 더 중요하다.

Vocabulary

다음 단어를 3번씩 더 쓰세요.

	단어	뜻	쓰기
01	animal	동물	animal
02	building	건물	building
03	careful	주의 깊은	careful
04	climb	오르다	climb
05	close	가까운	close
06	country	나라	country
07	early	이른, 일찍	early
08	great	훌륭한	great
09	hair	머리카락	hair
10	important	중요한	important
11	month	달, 월	month
12	mountain	산	mountain
13	player	선수	player
14	river	강	river
15	subject	과목	subject
16	thing	것	thing
17	warm	따뜻한	warm
18	whale	고래	whale
19	wise	현명한	wise
20	world	세상, 세계	world

1 다음 우리말 뜻에 해당하는 영어 단어를 쓰세요.

01 주의 깊은 → ______________
02 강 → ______________
03 나라 → ______________
04 고래 → ______________
05 현명한 → ______________
06 오르다 → ______________
07 산 → ______________
08 머리카락 → ______________
09 이른, 일찍 → ______________
10 중요한 → ______________
11 따뜻한 → ______________
12 달, 월 → ______________

2 다음 우리말과 일치하도록 보기에서 알맞은 단어를 골라 쓰세요.

month **subject** **world** **player** **mountain**

01 이 자동차가 세상에서 제일 비싸다.
→ This car is the most expensive in the ______________.

02 그녀는 일본에서 가장 높은 산에 올랐다.
→ She climbed the highest ______________ in Japan.

03 과학이 나에게는 가장 어려운 과목이다.
→ Science is the most difficult ______________ for me.

중요문법 요점정리

▶ 최상급이란 형용사나 부사에 − ______________ 또는 ______________ 를 써서 셋 이상의 비교대상 중 상태나 성질이 '가장(제일) ~하다'라는 의미입니다. 그리고 최상급 앞에는 정관사 ______________ 를 붙입니다.

• Tony is ______________ in my class. 토니는 우리 반에서 제일 키가 크다.

▶ 최상급을 이용한 비교

the + 최상급 the + ______________ + 원급	+ [명사]	+ ______________ 장소/단수명사 ______________ all/복수명사	~ (중)에서 가장 …한 [명사]

• Carol is the tallest girl ______________ my class. 캐롤이 우리 반에서 가장 키 큰 소녀이다.

Vocabulary

다음 단어를 3번씩 더 쓰세요.

	단어	뜻	쓰기
01	backpack	배낭	backpack
02	better	더 좋은	better
03	birthday	생일	birthday
04	computer	컴퓨터	computer
05	eat	먹다	eat
06	favorite	좋아하는	favorite
07	fruit	과일	fruit
08	history	역사	history
09	join	가입하다	join
10	math	수학	math
11	movie	영화	movie
12	name	이름	name
13	now	지금	now
14	pop music	대중음악	pop music
15	program	프로그램	program
16	season	계절	season
17	summer	여름	summer
18	tea	차	tea
19	tomorrow	내일	tomorrow
20	winter	겨울	winter

1 다음 우리말 뜻에 해당하는 영어 단어를 쓰세요.

01 생일 → ____________　　02 차 → ____________

03 대중음악 → ____________　　04 내일 → ____________

05 역사 → ____________　　06 더 좋은 → ____________

07 계절 → ____________　　08 배낭 → ____________

09 지금 → ____________　　10 여름 → ____________

11 겨울 → ____________　　12 이름 → ____________

2 다음 우리말과 일치하도록 보기에서 알맞은 단어를 골라 쓰세요.

movie	programs	tomorrow	season	backpack

01 너는 내일 무엇을 할 거니?
→ What are you going to do ____________?

02 너는 무슨 종류의 TV 프로그램을 좋아하니?
→ What kind of TV ____________ do you like?

03 어느 것이 너의 배낭이니, 이것 아니면 저것?
→ Which is your ____________, this one or that one?

중요문법 요점정리

▶ 의문사란 누가(Who), 언제(When), 어디서(Where), 왜(Why), 무엇을(____________), 어떻게(How), 어떤(____________) 등과 같이 구체적인 정보를 얻기 위해 질문할 때 사용하는 것으로 항상 문장 맨 ____________에 옵니다. 의문사로 물으면 ____________나 No로 대답할 수 없습니다.

▶ 의문사 ____________은 '무엇, 무엇이, 무엇을, 무슨' 등의 의미로, 사물에 관해 질문할 때 사용합니다. [What ____________ of+명사]의 형태로 '무슨 종류의 (명사)'라고 물어볼 수도 있습니다.

▶ 의문사 ____________은 '어떤 것이, 어떤 것을, 어떤' 등의 의미로, 정해진 범위 내에서 ____________ 질문을 할 때 사용합니다.

▶ ____________은 특정하지 않은 것을 물어보는 의문문에 사용되는 반면, ____________는 특정한 그룹 안에서 어느 하나를 물어보는 선택 의문문에 사용됩니다.

Vocabulary

다음 단어를 3번씩 더 쓰세요.

	단어	뜻	쓰기
01	arrive	도착하다	arrive
02	aunt	숙모	aunt
03	contest	대회	contest
04	fail	실패하다	fail
05	hospital	병원	hospital
06	library	도서관	library
07	miss	놓치다	miss
08	music	음악	music
09	open	열다	open
10	park	주차하다	park
11	parking lot	주차장	parking lot
12	problem	문제	problem
13	ring	반지	ring
14	solve	풀다	solve
15	station	역	station
16	store	상점	store
17	subway	지하철	subway
18	sunglasses	선글라스	sunglasses
19	test	시험	test
20	yesterday	어제	yesterday

1 다음 우리말 뜻에 해당하는 영어 단어를 쓰세요.

01 도서관 → ____________ 02 실패하다 → ____________

03 문제 → ____________ 04 대회 → ____________

05 도착하다 → ____________ 06 어제 → ____________

07 열다 → ____________ 08 숙모 → ____________

09 상점 → ____________ 10 시험 → ____________

11 풀다 → ____________ 12 놓치다 → ____________

2 다음 우리말과 일치하도록 보기에서 알맞은 단어를 골라 쓰세요.

problem	park	subway	hospital	store

01 지하철역은 어디에 있니?
→ Where is the ____________ station?

02 너는 네 자동차를 어디에 주차했니?
→ Where did you ____________ your car?

03 너는 왜 병원에 입원했었니?
→ Why were you in the ____________?

중요문법 요점정리

▶ 의문사 ____________는 '왜'라는 의미로 이유를 질문할 때 사용합니다. Why로 물어보는 질문에는 ____________(왜냐하면)로 대답할 수 있습니다. 그러나 반드시 Because를 붙일 필요는 없습니다.

▶ 의문사 ____________는 '어디에', '어디로'라는 의미로 장소와 관련해 질문할 때 사용합니다. Where로 질문하면 ____________로 답해야 합니다.

▶ 의문사 ____________은 '언제'라는 의미로 '시간이나 때'와 관련해 질문할 때 사용합니다. When으로 질문하면 ____________에 관련해 답해야 합니다.

Vocabulary

다음 단어를 3번씩 더 쓰세요.

	단어	뜻	쓰기
01	after school	방과 후에	after school
02	aunt	고모	aunt
03	bank	은행	bank
04	help	돕다	help
05	living room	거실	living room
06	medium	중간의	medium
07	meet	만나다	meet
08	museum	박물관	museum
09	parents	부모	parents
10	people	사람들	people
11	problem	문제	problem
12	solve	풀다	solve
13	steak	스테이크	steak
14	subway	지하철	subway
15	sunny	맑은	sunny
16	talk	말하다	talk
17	thank	고마워하다	thank
18	there	저기	there
19	today	오늘	today
20	weather	날씨	weather

1 다음 우리말 뜻에 해당하는 영어 단어를 쓰세요.

01 돕다	→ ______	02 말하다	→ ______
03 사람들	→ ______	04 문제	→ ______
05 맑은	→ ______	06 중간의	→ ______
07 은행	→ ______	08 풀다	→ ______
09 스테이크	→ ______	10 부모	→ ______
11 고마워하다	→ ______	12 오늘	→ ______

2 다음 우리말과 일치하도록 보기에서 알맞은 단어를 골라 쓰세요.

medium people weather sunny solve

01 저기에 있는 저 사람들은 누구니?
→ Who are those ______ over there?

02 너는 그 문제를 어떻게 풀었니?
→ How did you ______ the problem?

03 오늘 날씨 어때?
→ How is the ______ today?

중요문법 요점정리

▶ 의문사 ______ 는 '누가', '누구'라는 의미로 사람에 관련해 질문할 때 사용합니다.
- ______ is he talking with? 그는 누구와 얘기 중이니?

▶ 의문사 ______ 는 '누구의'라는 의미로 ______ 와 관련해 질문할 때 사용합니다.
- ______ bag is this? 이것은 누구의 가방이니?

▶ 의문사 ______ 는 '어떠한', '어떻게'라는 의미로 ______ 나 ______ 에 관련해 질문할 때 사용합니다.
- ______ do you feel today? 오늘 기분 어떠니? - 상태
- ______ did she solve the riddle? 그녀는 어떻게 그 수수께끼를 풀었니? - 방법

Vocabulary

다음 단어를 3번씩 더 쓰세요.

	단어	뜻	쓰기
01	angry	화난	angry
02	aquarium	수족관	aquarium
03	attend	참석하다	attend
04	break	깨뜨리다	break
05	change	바꾸다	change
06	classroom	교실	classroom
07	decision	결심	decision
08	fall	떨어지다	fall
09	fix	고치다	fix
10	happen	일어나다	happen
11	invite	초대하다	invite
12	meeting	미팅, 회의	meeting
13	plan	계획	plan
14	restaurant	식당	restaurant
15	send	보내다	send
16	speak	말하다	speak
17	use	사용하다	use
18	visit	방문하다	visit
19	wallet	지갑	wallet
20	week	주, 일주일	week

1 다음 우리말 뜻에 해당하는 영어 단어를 쓰세요.

01 참석하다 → ____________
02 일어나다 → ____________
03 보내다 → ____________
04 말하다 → ____________
05 초대하다 → ____________
06 떨어지다 → ____________
07 화난 → ____________
08 바꾸다 → ____________
09 주, 일주일 → ____________
10 깨뜨리다 → ____________
11 계획 → ____________
12 사용하다 → ____________

2 다음 우리말과 일치하도록 보기에서 알맞은 단어를 골라 쓰세요.

aquarium meeting restaurant decision visit

01 누가 회의에 참석할 수 있니?
→ Who can attend the ____________?

02 무엇이 그의 결심을 바꿀 수 있니?
→ What can change his ____________?

03 누가 수족관에 갔니?
→ Who went to the ____________?

중요문법 요점정리

▶ 의문사 ________ 가 '누구'로 해석되어 의문문에서 ________ 로 사용될 수 있습니다.
- ________ is singing now? 누가 지금 노래하고 있나?

▶ 의문사 ________ 이 '무엇이'로 해석되어 의문문에서 ________ 로 사용될 수 있습니다.
- ________ is different from it? 무엇이 그것과 다르니?

▶ 의문사가 주어 역할을 할 경우 3인칭 ________ 취급을 합니다.
따라서 일반동사 현재형에는 -________ 나 -________ 를 붙여야 합니다.
- What ________ to your mind? 무슨 생각이 떠오르니?

▶ 의문사는 문장에서 주어 이외에 ________, 부사, 보어 역할을 합니다.

Chapter 13 Vocabulary

다음 단어를 3번씩 더 쓰세요.

	단어	뜻	쓰기
01	afternoon	오후	afternoon
02	along	~을 따라	along
03	around	주위에	around
04	arrive	도착하다	arrive
05	Earth	지구	Earth
06	enter	들어가다	enter
07	furniture	가구	furniture
08	heart	마음	heart
09	Korean food	한국 음식	Korean food
10	mouth	입	mouth
11	museum	박물관	museum
12	order	주문하다	order
13	river	강	river
14	sell	팔다	sell
15	store	상점	store
16	Sun	태양	Sun
17	temperature	기온	temperature
18	used car	중고차	used car
19	wallet	지갑	wallet
20	woods	숲	woods

1 다음 우리말 뜻에 해당하는 영어 단어를 쓰세요.

01 주문하다 → ____________
02 박물관 → ____________
03 팔다 → ____________
04 지갑 → ____________
05 숲 → ____________
06 태양 → ____________
07 주위에 → ____________
08 가구 → ____________
09 ~을 따라 → ____________
10 도착하다 → ____________
11 마음 → ____________
12 들어가다 → ____________

2 다음 우리말과 일치하도록 보기에서 알맞은 단어를 골라 쓰세요.

sun	Earth	afternoon	heart	temperature

01 지구는 태양 주위를 돈다.
→ The ____________ moves around the Sun.

02 기온이 여름 시즌에는 오른다.
→ The ____________ rises in summer season.

03 사라는 오후에 그녀의 개를 산책시킨다.
→ Sara walks her dog in the ____________.

중요문법 요점정리

▶ ____________는 명사와 함께 문장을 만드는 가장 기본적인 재료가 됩니다. 동사에 따라 뒤에 ____________가 오거나 형용사가 올 수 있습니다. 또는 명사나 형용사 없이 ____________가 올 수도 있습니다.

▶ 명사(목적어)와 함께하는 동사로는 ____________(~을 원하다, 바라다), eat(~을 먹다), ____________(~에 참석하다), make(~을 만들다), ____________(~을 주문하다), enter(~에 들어가다), ____________(~을 보다) 등이 있습니다.

▶ 명사(목적어) ____________ 쓰는 동사에는 ____________(가다), arrive(도착하다), ____________(상승하다, 오르다), sit(앉다) 등이 있습니다. 이런 동사들은 목적어 없이 사용하며, 수식어구와 함께 합니다.

Vocabulary

다음 단어를 3번씩 더 쓰세요.

	단어	뜻	쓰기
01	age	나이	age
02	cheese	치즈	cheese
03	different	다른	different
04	idea	생각	idea
05	leather	가죽	leather
06	outside	밖	outside
07	perfect	완벽한	perfect
08	quite	꽤	quite
09	really	정말로	really
10	robot	로봇	robot
11	serious	심각한	serious
12	ship	배	ship
13	simple	간단한	simple
14	soup	수프	soup
15	sour	신	sour
16	sweet	달콤한	sweet
17	thunder	천둥	thunder
18	twins	쌍둥이	twins
19	voice	목소리	voice
20	watermelon	수박	watermelon

1 다음 우리말 뜻에 해당하는 영어 단어를 쓰세요.

01 달콤한 → ________ 02 정말로 → ________
03 신 → ________ 04 치즈 → ________
05 배 → ________ 06 다른 → ________
07 나이 → ________ 08 밖 → ________
09 쌍둥이 → ________ 10 가죽 → ________
11 생각 → ________ 12 심각한 → ________

2 다음 우리말과 일치하도록 보기에서 알맞은 단어를 골라 쓰세요.

thunder serious simple voice cheese

01 그의 계획은 매우 단순하게 들린다.
→ His plan sounds quite ________.

02 그녀의 목소리가 오늘 다르게 들린다.
→ Her ________ sounds different today.

03 그것은 천둥소리처럼 들린다.
→ It sounds like ________.

중요문법 요점정리

▶ 감각동사란 보이고, 냄새 맡아지고, 들리고, 맛이 느껴지는 등 느낌이 드는 동사들을 말합니다. 이러한 동사는 ________와 함께 해서 오감을 표현합니다. 감각동사에는 look(보이다), ________(느끼다), sound(들리다), ________(냄새 맡다), ________(맛보다) 등이 있습니다.

▶ 감각동사는 ________와 함께 해서 [감각동사 + 형용사]와는 다른 의미를 표현할 수 있습니다. 여기서 like는 전치사로 '~________'이란 의미이며 뒤에 명사가 옵니다.

- ________ like + 명사: ~처럼 보이다
- ________ like + 명사: ~처럼 들리다
- ________ like + 명사: ~한 느낌이다 / ~을 하고 싶다
- smell like + 명사: ~의 냄새 나다 / ~ 같은 냄새가 나다
- taste like + 명사: ~의 맛이 나다 / ~ 같은 맛이 나다

Vocabulary

다음 단어를 3번씩 더 쓰세요.

	단어	뜻	쓰기
01	bicycle	자전거	bicycle
02	birthday	생일	birthday
03	bread	빵	bread
04	children	아이들	children
05	delicious	맛있는	delicious
06	doll	인형	doll
07	dress	드레스	dress
08	letter	편지	letter
09	month	달, 월	month
10	once	한 번	once
11	pancake	팬케이크	pancake
12	photo	사진	photo
13	picture	사진, 그림	picture
14	poem	시	poem
15	present	선물	present
16	sandwich	샌드위치	sandwich
17	show	보여주다	show
18	uncle	삼촌	uncle
19	wife	아내	wife
20	write	쓰다	write

1 다음 우리말 뜻에 해당하는 영어 단어를 쓰세요.

01 생일 → ____________
02 맛있는 → ____________
03 선물 → ____________
04 달, 월 → ____________
05 아내 → ____________
06 인형 → ____________
07 샌드위치 → ____________
08 사진, 그림 → ____________
09 아이들 → ____________
10 삼촌 → ____________
11 한 번 → ____________
12 자전거 → ____________

2 다음 우리말과 일치하도록 보기에서 알맞은 단어를 골라 쓰세요.

sandwiches	letter	pancakes	poem	photo

01 엄마는 내게 팬케이크를 만들어 주셨다.
→ My mom made me some ____________.

02 그녀는 어제 내게 시를 써주었다.
→ She wrote me a ____________ yesterday.

03 그는 그의 엄마에게 편지를 쓸 것이다.
→ He will write a ____________ to his mom.

중요문법 요점정리

▶ ____________ 동사란 '수여하는 동사'라는 의미로 '뭔가를 누구에게 ____________ 의미의 동사'입니다. 이러한 동사는 목적어가 ____________ 개 필요하며 '주어가 ~(사람)에게 …를 해주다'라는 의미를 가지고 있습니다.

▶ 수여동사에는 ____________(주다), send(보내다), ____________(사다), make(만들다), ____________(보여주다), teach(가르치다) 등이 있습니다.

▶ [수여동사 + 명사(____________) + 명사(사물)]를 [수여동사 + 명사(____________) + ____________ / for + 명사(사람)]로 바꿔 쓸 수 있습니다.

- Jane taught math ____________ us. 제인은 우리에게 수학을 가르쳐 주었다.
- Mom made sandwiches ____________ me. 엄마는 나에게 샌드위치를 만들어 주셨다.

Vocabulary

다음 단어를 3번씩 더 쓰세요.

	단어	뜻	쓰기
01	always	언제나	always
02	beautifully	아름답게	beautifully
03	become	~이 되다	become
04	difficult	어려운	difficult
05	director	감독	director
06	dream	꿈, 소망	dream
07	easy	쉬운	easy
08	enjoy	즐기다	enjoy
09	famous	유명한	famous
10	foreign	외국의	foreign
11	goal	목표	goal
12	health	건강	health
13	hobby	취미	hobby
14	invite	초대하다	invite
15	language	언어	language
16	lie	거짓말하다	lie
17	mistake	실수	mistake
18	proud	자랑스러운	proud
19	scientist	과학자	scientist
20	wrong	잘못된	wrong

1 다음 우리말 뜻에 해당하는 영어 단어를 쓰세요.

01 건강 → ______________ 02 즐기다 → ______________

03 ~이 되다 → ______________ 04 꿈, 소망 → ______________

05 감독 → ______________ 06 언어 → ______________

07 유명한 → ______________ 08 거짓말하다 → ______________

09 쉬운 → ______________ 10 잘못된 → ______________

11 목표 → ______________ 12 실수 → ______________

2 다음 우리말과 일치하도록 보기에서 알맞은 단어를 골라 쓰세요.

mistake hobby health enjoys foreign

01 그의 취미는 컴퓨터 게임을 하는 것이다.
→ His ______________ is playing computer games.

02 그녀는 강에서 수영하는 것을 즐긴다.
→ She ______________ swimming in the river.

03 그녀는 외국어 배우는 것을 좋아한다.
→ She likes learning ______________ languages.

중요문법 요점정리

▶ 동명사란 동사에 -__________를 붙여 __________로 사용하는 것으로 '~하는 것'으로 해석합니다. 동명사는 명사 역할을 하기 때문에 명사가 올 수 있는 자리(__________, 목적어, __________)에 나옵니다.

▶ 동명사와 진행형의 -ing 구별하기

__________는 문장 안에서 주어 · 목적어 · 보어로 사용할 수 있으며, '~하는 것'으로 해석하고, __________은 '~하고 있는'이라고 해석합니다.

동명사: Her hobby is __________ books. 그녀의 취미는 책을 읽는 것이다. (~하는 것)

진행형: She __________ __________ a book now. 그녀는 지금 책을 읽고 있다. (~하고 있는)

Vocabulary Workbook Answers

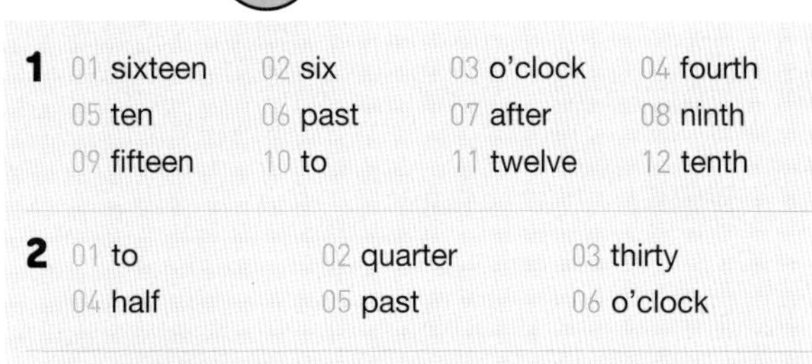

Chapter 01

1 01 sixteen 02 six 03 o'clock 04 fourth
05 ten 06 past 07 after 08 ninth
09 fifteen 10 to 11 twelve 12 tenth

2 01 to 02 quarter 03 thirty
04 half 05 past 06 o'clock

중요문법 요점정리
- ▶ 시간 / 분
- ▶ to / ten
- ▶ after / past
- ▶ 분자 / 서수 / s

Chapter 02

1 01 festival 02 forest 03 country 04 beach
05 continue 06 send 07 bookstore 08 butterfly
09 journey 10 plane 11 arrive 12 river

2 01 bridge 02 continue 03 airport

중요문법 요점정리
- ▶ 명사
- ▶ until / by
- ▶ between / over / through / to / from

Chapter 03

1 01 clean 02 set 03 office 04 be over
05 homework 06 go out 07 quiet 08 call
09 work out 10 hurry up 11 young 12 finish

2 01 homework 02 always 03 ordered

중요문법 요점정리
- ▶ 단어 / 문장
- ▶ when / while
- ▶ after / after / before / before / until / until

Chapter 04

1 01 gym 02 boring 03 story
04 night 05 company 06 swim
07 same 08 know 09 learn
10 best 11 understand 12 expensive

2 01 same 02 handsome 03 yesterday

중요문법 요점정리
- ▶ 부가 / 그렇지
- ▶ (1) 긍정문 (2) 부정문 (3) 축약형 (4) 인칭 (5) 일치

Chapter 05

1 01 cousin 02 today 03 speak 04 afternoon
05 borrow 06 picture 07 minute 08 basket
09 weekend 10 fruit 11 bathroom 12 umbrella

2 01 minutes 02 cellphone 03 borrow

중요문법 요점정리
- ▶ 조동사 / 앞 / 동사원형 / 본동사
- ▶ 추측 / 허락
- ▶ 금지
- ▶ 허락 / may

Chapter 06

1 01 question 02 finish 03 real 04 again
05 message 06 ticket 07 exam 08 attend
09 hour 10 pass 11 soldier 12 ago

2 01 online 02 gift 03 sick

중요문법 요점정리
- ▶ 틀림없다 / 추측
- ▶ 없다 / 추측
- ▶ able / 가능 / 없습니다
- ▶ like / 좋겠다

Chapter 07

1 01 son 02 dangerous 03 pretty
04 health 05 quick 06 cheap
07 heavy 08 knife 09 money
10 house 11 famous 12 dirty

2 01 interesting 02 comfortable 03 musician

중요문법 요점정리
- ▶ 비교급 / 더 / 형용사
- ▶ than / more / 원래 / taller than / more important than

Chapter 08

1 01 careful 02 river 03 country 04 whale
05 wise 06 climb 07 mountain 08 hair
09 early 10 important 11 warm 12 month

2 01 world 02 mountain 03 subject

중요문법 요점정리
- ▶ est / most / the / the tallest
- ▶ most / in / of / in

Chapter 09

1 01 birthday 02 tea 03 pop music
04 tomorrow 05 history 06 better
07 season 08 backpack 09 now
10 summer 11 winter 12 name

2 01 tomorrow 02 programs 03 backpack

중요문법 요점정리
- ▶ What / Which / 앞 / Yes
- ▶ What / kind
- ▶ Which / 선택적
- ▶ What / Which

Chapter 10

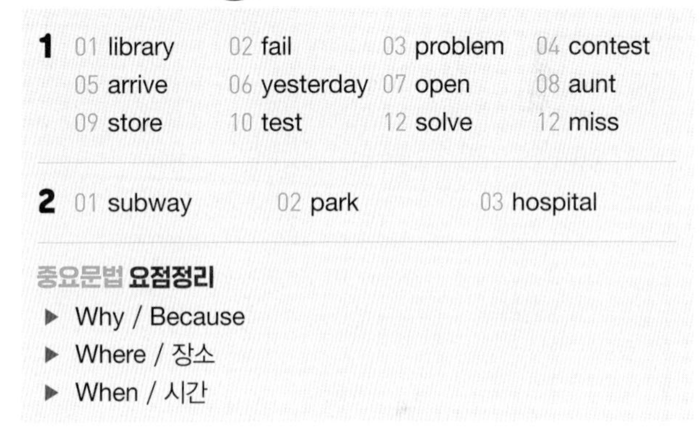

1 01 library 02 fail 03 problem 04 contest
05 arrive 06 yesterday 07 open 08 aunt
09 store 10 test 12 solve 12 miss

2 01 subway 02 park 03 hospital

중요문법 요점정리
- ▶ Why / Because
- ▶ Where / 장소
- ▶ When / 시간

Chapter 11

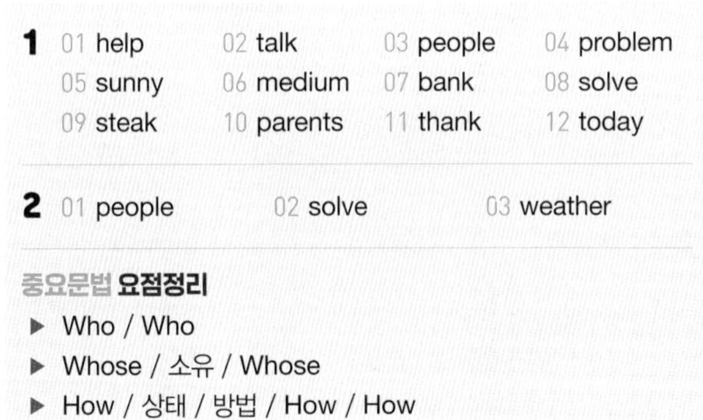

1 01 help 02 talk 03 people 04 problem
05 sunny 06 medium 07 bank 08 solve
09 steak 10 parents 11 thank 12 today

2 01 people 02 solve 03 weather

중요문법 요점정리
- ▶ Who / Who
- ▶ Whose / 소유 / Whose
- ▶ How / 상태 / 방법 / How / How

Chapter 12

1 01 attend 02 happen 03 send 04 speak
05 invite 06 fall 07 angry 08 change
09 week 10 break 11 plan 12 use

2 01 meeting 02 decision 03 aquarium

중요문법 요점정리

- ▶ Who / 주어 / Who
- ▶ What / 주어 / What
- ▶ 단수 / s / es / comes
- ▶ 목적어

Chapter 13

1 01 order 02 museum 03 sell
04 wallet 05 woods 06 Sun
07 around 08 furniture 09 along
10 arrive 11 heart 12 enter

2 01 Earth 02 temperature 03 afternoon

중요문법 요점정리

- ▶ 동사 / 명사 / 수식어
- ▶ want / attend / order / watch
- ▶ 없이 / go / rise

Chapter 14

1 01 sweet 02 really 03 sour 04 cheese
05 ship 06 different 07 age 08 outside
09 twins 10 leather 11 idea 12 serious

2 01 simple 02 voice 03 thunder

중요문법 요점정리

- ▶ 형용사 / feel / smell / taste
- ▶ like / 처럼 / look / sound / feel

Chapter 15

1 01 birthday 02 delicious 03 present 04 month
05 wife 06 doll 07 sandwich 08 picture
09 children 10 uncle 11 once 12 bicycle

2 01 pancakes 02 poem 03 letter

중요문법 요점정리

- ▶ 수여 / 주는 / 2
- ▶ give / buy / show
- ▶ 사람 / 사물 / to / to / for

Chapter 16

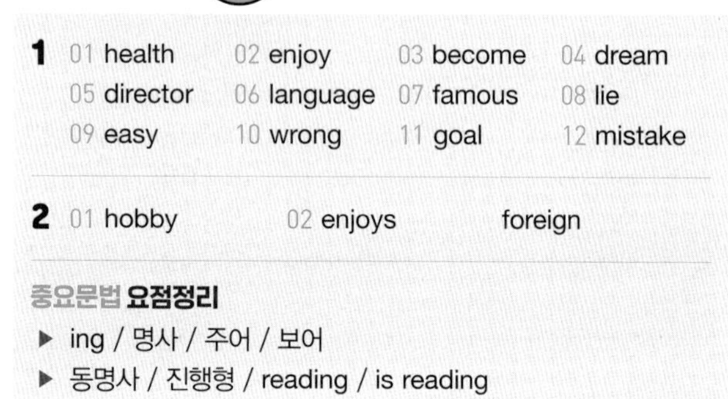

1 01 health 02 enjoy 03 become 04 dream
05 director 06 language 07 famous 08 lie
09 easy 10 wrong 11 goal 12 mistake

2 01 hobby 02 enjoys foreign

중요문법 요점정리

- ▶ ing / 명사 / 주어 / 보어
- ▶ 동명사 / 진행형 / reading / is reading

Longman

GRAMMAR HOUSE

초등영문법

4

ANSWERS

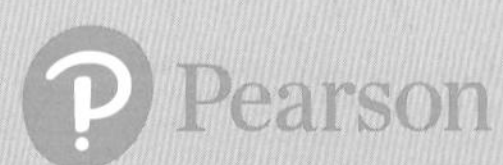

Answers

Chapter 01 시각/분수 읽기

Practice 1 p. 7

1
01 ten to five
02 twenty to five
03 two-fifths
04 three-quarters
05 a quarter to twelve
06 six thirty
07 five twenty-five
08 one-quarter
09 a half
10 a quarter past nine
11 a quarter to nine
12 four-sixths
13 twelve o'clock

해석 및 해설

03 *분자가 2 이상일 때는 분모에 -s를 붙입니다.

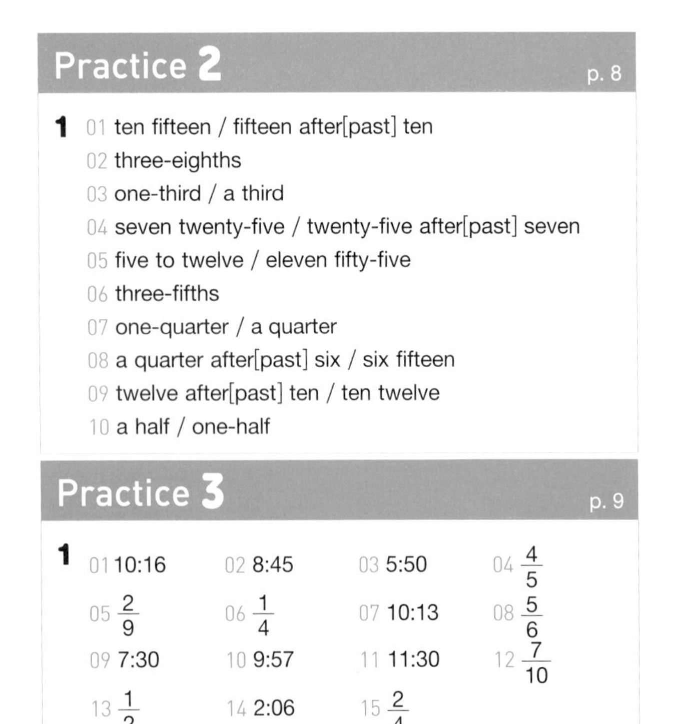

Practice 2 p. 8

1
01 ten fifteen / fifteen after[past] ten
02 three-eighths
03 one-third / a third
04 seven twenty-five / twenty-five after[past] seven
05 five to twelve / eleven fifty-five
06 three-fifths
07 one-quarter / a quarter
08 a quarter after[past] six / six fifteen
09 twelve after[past] ten / ten twelve
10 a half / one-half

Practice 3 p. 9

1
01 10:16
02 8:45
03 5:50
04 $\frac{4}{5}$
05 $\frac{2}{9}$
06 $\frac{1}{4}$
07 10:13
08 $\frac{5}{6}$
09 7:30
10 9:57
11 11:30
12 $\frac{7}{10}$
13 $\frac{1}{2}$
14 2:06
15 $\frac{2}{4}$

Chapter 02 전치사 I

Practice 1 p. 11

1
01 across
02 from, to
03 over
04 through
05 around
06 between
07 until
08 by
09 to
10 from

해석 및 해설

07 *'계속'을 넣어서 자연스러우면 until을 씁니다.

08 *'계속'을 넣어서 자연스럽지 않으면 by를 씁니다.

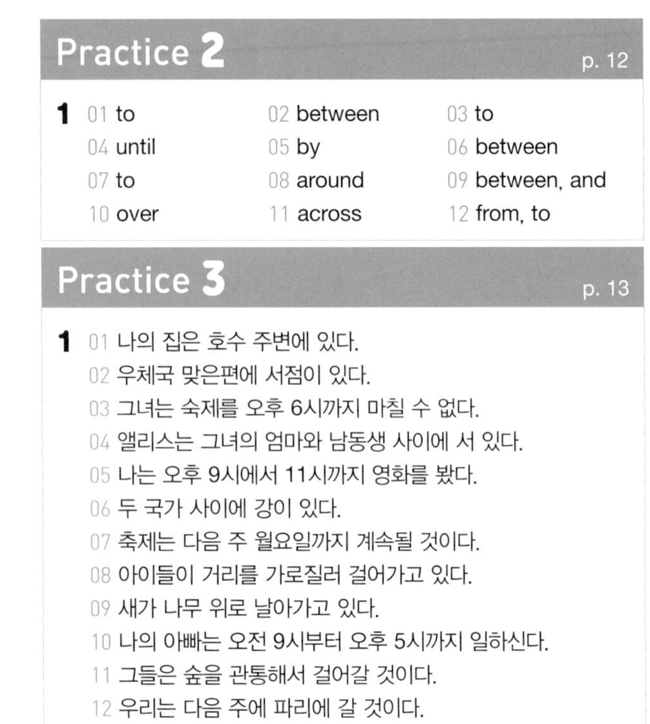

Practice 2 p. 12

1
01 to
02 between
03 to
04 until
05 by
06 between
07 to
08 around
09 between, and
10 over
11 across
12 from, to

Practice 3 p. 13

1
01 나의 집은 호수 주변에 있다.
02 우체국 맞은편에 서점이 있다.
03 그녀는 숙제를 오후 6시까지 마칠 수 없다.
04 앨리스는 그녀의 엄마와 남동생 사이에 서 있다.
05 나는 오후 9시에서 11시까지 영화를 봤다.
06 두 국가 사이에 강이 있다.
07 축제는 다음 주 월요일까지 계속될 것이다.
08 아이들이 거리를 가로질러 걸어가고 있다.
09 새가 나무 위로 날아가고 있다.
10 나의 아빠는 오전 9시부터 오후 5시까지 일하신다.
11 그들은 숲을 관통해서 걸어갈 것이다.
12 우리는 다음 주에 파리에 갈 것이다.

Chapter 03 접속사 II

Practice 1 p. 15

1
01 before
02 when
03 when
04 When
05 after
06 until
07 while
08 until
09 while
10 after
11 while
12 until

Practice 2 p. 16

1
01 when
02 while
03 until
04 while
05 before
06 before
07 after
08 while
09 When
10 while
11 until
12 when

Practice 3 p. 17

1 01 I take a walk after I have dinner.
02 He was upset when he heard the news.
03 She stayed home until the rain stopped.
04 I can go out after my mom comes home.
05 They read books until the bus came.

2 01 When / 그녀는 쇼핑할 때, 행복함을 느낀다.
02 Before / 해가 지기 전에, 집에 돌아와라.
03 When / 내가 처음 그녀를 보았을 때 나는 그녀를 좋아하지 않았다.
04 while / 나는 엄마가 집 청소를 하는 동안 컴퓨터 게임을 했다.
05 until / 조는 졸릴 때까지 책을 읽었다.

Chapter 04 부가의문문

Practice 1 p. 19

1

01 aren't you	02 don't you	03 wasn't it
04 can he	05 isn't it	06 are they
07 did she	08 aren't they	09 did he
10 aren't they	11 isn't it	12 will you

해석 및 해설

01 *부가의문문은 긍정문은 부정으로 만듭니다.
02 *부가의문문은 일반동사는 do 조동사를 씁니다.
04 *부가의문문은 부정문은 긍정으로 만듭니다.
07 *부가의문문은 주어를 인칭대명사로 바꿉니다.
09 *부가의문문은 시제를 일치시킵니다.
12 *명령문의 부가의문문은 will you를 붙입니다.

Practice 2 p. 20

1

01 wasn't it	02 can't they	03 won't they
04 didn't they	05 does she	06 does it
07 will they	08 aren't we	09 didn't they
10 doesn't she	11 did it	12 will you

Practice 3 p. 21

1

01 isn't it	02 aren't they	03 wasn't she
04 were they	05 do you	06 didn't he
07 does he	08 didn't it	09 don't they
10 can't you	11 won't she	12 wasn't it

Review Test 1 p. 22

01 ④ 02 ④ 03 after[past] 04 sixths 05 ①
06 ⑤ 07 ⑤ 08 ③ 09 through 10 over
11 around 12 ⑤ 13 ① 14 ③ 15 ④ 16 ①
17 ① 18 before 19 ⑤ 20 ② 21 ⑤ 22 ③
23 five, ten 24 between 25 half 26 from, to
27 don't they 28 did she 29 나는 기다리는 동안 음악을 들었다. 30 (1) third-sevenths (2) a quarter / one-fourth

해석 및 해설

01 *분수에서 분자가 1이상이면 분모는 복수로 씁니다.
02 *2시 8분은 eight after[past] two나 two eight이라고 읽습니다.
03 6시 15분
04 $\frac{4}{6}$
08 내일까지 날씨가 맑을 것이다.
축제는 7월 25일까지 계속될 것이다.
12 *빈칸 뒤에 주어와 동사가 있으므로 접속사가 올 수 있습니다.
18 그녀는 저녁을 먹은 후에 책을 읽었다.
그녀는 책을 읽기 전에 저녁을 먹었다.
19 그들은 낚시하러 갔어, 그렇지 않니?
20 너의 엄마는 의사가 아니시지, 그렇지?
21 창문을 열어라, 그래 줄래?
*명령문의 부가의문문에는 will you를 붙입니다.
22 ① 너는 실수를 했어, 그렇지 않니?
② 그녀는 열심히 공부하지 않았어, 그렇지?
④ 그들은 내 여동생을 만났어, 그렇지 않니?
⑤ 그는 변호사가 아니야, 그렇지?
*일반동사에는 do/does/did 조동사를 사용합니다.
23 A: 지금 몇 시니?
B: 10시 5분 전이야.
27 네 부모님은 한국 음식을 좋아하셔, 그렇지 않니?
28 그녀는 시험에 통과하지 못했어, 그렇지?

Chapter 05 조동사 may

Practice 1 p. 27

1

01 추측	02 추측	03 허락	04 추측
05 허락	06 금지	07 허락	08 추측
09 추측	10 허락	11 추측	12 금지

Practice 2 p. 28

1
01 곧 비가 올지 모른다.
02 그녀는 집에 없을지도 모른다.
03 너는 나의 사촌을 알지도 모른다.
04 너는 내 사무실에 들어와도 된다.
05 너는 여기서 사진을 찍으면 안 된다.
06 내가 문을 열어도 될까?
07 너는 바구니에 있는 어떤 과일을 먹어도 된다.
08 너는 나의 휴대전화를 사용해서는 안 된다.
09 그들은 내일 쇼핑을 갈지 모른다.
10 그 버스는 여기에 정차하지 않을지 모른다.
11 너는 30분 동안 먹거나 마시면 안 된다.
12 내가 에어컨을 켜도 될까?

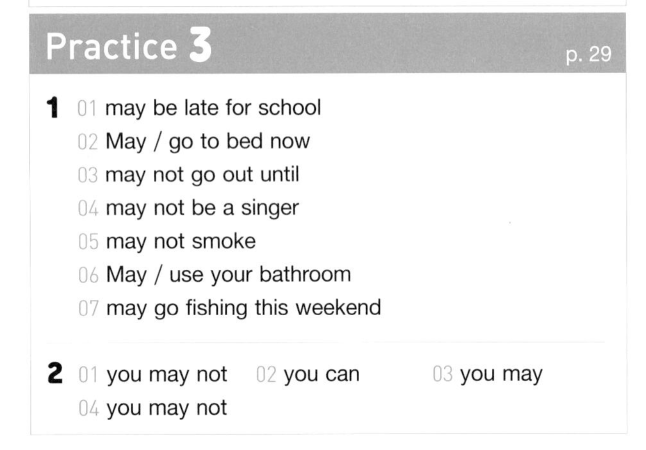

Practice 3 p. 29

1
01 may be late for school
02 May / go to bed now
03 may not go out until
04 may not be a singer
05 may not smoke
06 May / use your bathroom
07 may go fishing this weekend

2
01 you may not 02 you can 03 you may
04 you may not

해석 및 해설

01 A: 네 컴퓨터를 써도 될까?
02 A: 내가 컴퓨터 게임을 할 수 있니?
03 A: 네 우산을 빌려도 될까?
04 A: 오늘 밤에 영화 보러 가도 될까?

Chapter 06 must/can't/will be able to

Practice 1 p. 31

1

01 can't	02 must	03 can't	04 be
05 will	06 will	07 won't	08 won't
09 would	10 see	11 Would	12 must

Practice 2 p. 32

1
01 그들은 배우임에 틀림없다.
02 그것이 사실일 리가 없다.
03 그는 피곤한 게 틀림없다.
04 나는 독서클럽에 가입하고 싶다.
05 우리를 도와주실래요?
06 그녀는 곧 걸을 수 있을 것이다.
07 나는 오늘 밤 회의에 참석할 수 없을 것이다.
08 너는 곧 일을 얻을 수 있을 것이다.
09 제인은 지금 배가 고플 리가 없다.
10 그 꽃들이 진짜일 리가 없다.
11 저와 함께 산책하시겠어요?
12 그 남자는 부자임에 틀림없다.

Practice 3 p. 33

1

01 must	02 must	03 must	04 can't
05 must	06 can't	07 can't	

해석 및 해설

01 내 친구들은 2시간 동안 걸었다. 그들은 피곤함에 틀림없다.
02 제인은 오늘 학교에 오지 않았다. 그녀는 아픈 게 틀림없다.
03 앨리스는 멋진 자동차가 있다. 그녀는 부자임에 틀림없다.
04 샘의 남동생은 3살이다. 그는 학생일 리 없다.
05 그 남자는 노래를 무척 잘한다. 그는 가수임에 틀림없다.
06 그는 30분 전에 점심을 먹었다. 그가 배가 고플 리 없다.
07 제임스는 미국인일 리 없다. 그는 영어로 말을 전혀 못한다.

2
01 would like to have pasta
02 would like to give her a gift
03 Would you like to leave
04 will be able to help you
05 will be able to buy the tickets
06 won't be able to come to office

Chapter 07 비교급

Practice 1
p. 35

1
01 longer
02 earlier
03 more famous
04 heavier
05 stronger
06 wider
07 darker
08 wiser
09 bigger
10 hotter
11 greater
12 more expensive
13 harder
14 warmer
15 larger
16 more careful
17 more beautiful
18 more difficult
19 more important
20 cheaper
21 smaller
22 smarter
23 prettier
24 faster
25 braver
26 taller
27 closer
28 higher
29 kinder
30 quicker

Practice 2
p. 36

1
01 taller
02 greater
03 more dangerous
04 more expensive
05 older
06 smaller
07 earlier
08 more comfortable
09 bigger
10 hotter
11 heavier
12 stronger

Practice 3
p. 37

1
01 shorter than
02 faster than
03 more important than
04 higher than
05 younger than
06 longer than
07 earlier than
08 more interesting than
09 cheaper than
10 colder than
11 dirtier than
12 more famous than

Chapter 08 최상급

Practice 1
p. 39

1
01 the longest
02 the earliest
03 the most famous
04 the heaviest
05 the strongest
06 the widest
07 the darkest
08 the wisest
09 the biggest
10 the hottest
11 the greatest
12 the most expensive
13 the hardest
14 the warmest
15 the largest
16 the most careful
17 the most beautiful
18 the most difficult
19 the most important
20 the cheapest
21 the smallest
22 the smartest
23 the prettiest
24 the fastest
25 the bravest
26 the tallest
27 the closest
28 the highest
29 the kindest
30 the quickest

Practice 2
p. 40

1
01 oldest
02 smartest
03 cheapest
04 longest
05 most famous
06 most expensive
07 biggest
08 most important
09 youngest
10 highest
11 most popular
12 strongest

해석 및 해설

01/03/06/09 *최상급 다음에 명사 없이도 표현할 수 있습니다.

Practice 3
p. 41

1
01 is the fastest car
02 the tallest player
03 the busiest man
04 the best golfer
05 the biggest animal
06 the most comfortable chair
07 This box is the heaviest
08 August is the hottest month
09 the largest country
10 the longest of
11 is the most handsome man
12 the most difficult subject

해석 및 해설

07/10 *최상급 다음에 명사 없이도 표현할 수 있습니다.

Review Test 2

p. 42

01 ② 02 ③ 03 ① 04 ① 05 ④ 06 ④ 07 ⑤
08 ③ 09 ② 10 ③ 11 younger 12 more 13 ②
14 ② 15 ④ 16 ③ 17 ⑤ 18 ② 19 ⑤
20 ⑤ 21 ③ 22 ③ 23 ⑤
24 (1) happier / happiest (2) more famous / most famous
25 ⑤ 26 must 27 can't 28 may / might
29 English is more difficult than Korean.
30 You will be able to meet her again.

해석 및 해설

04 *추측을 나타내는 조동사 may가 필요합니다.
07 오늘 밤에 영화 보러 가도 될까요?
08 나와 함께 갈래요?
09 너는 집에 가도 좋다.
네 컴퓨터를 써도 되니?
10 *busy의 비교급은 busier입니다.
11 캐시는 12살이다.
소라는 8살이다.
소라는 캐시보다 더 어리다.
12 가방이 티셔츠보다 더 비싸다.
13 ① 이것이 저것보다 더 길다.
③ 네 머리카락이 내 것보다 더 길다.
④ 호랑이가 고양이보다 더 강하다.
⑤ 그가 테드보다 나이가 더 많다.
*heavy의 비교급은 heavier입니다.
14 너의 컴퓨터는 내 컴퓨터보다 더 빠르다.
15 사과와 오렌지 중에서 어느 것을 더 좋아하니?
*good의 비교급은 better입니다.
18 *long – longer – longest입니다.
21 *최상급 문장에서 of 다음에는 숫자가 옵니다.
22 *최상급 문장에서 in 다음에는 장소가 옵니다.
23 마이크는 나보다 더 키가 크다.
수미도 나보다 더 키가 크다.
그래서 내가 가장 작다.
*최상급 다음에 명사 없이도 표현할 수 있습니다.
25 그녀는 의사임에 틀림없다. (추측)
① 너는 지금 집에 가야 한다. (의무)
② 너는 비밀을 반드시 지켜야 한다. (의무)
③ 그녀는 서둘러야 한다. (의무)
④ 우리는 도서관에서 조용히 해야 한다. (의무)
⑤ 그 가방은 부엌에 있는 게 틀림없다. (추측)
26 앨리스는 영어로 매우 잘 말할 수 있다.
그녀는 미국인이 틀림없다.
27 그 남자는 노래를 못한다.
그는 가수일 리가 없다.

Chapter 09 What/Which

Practice 1

p. 47

1 01 What 02 What 03 Which 04 Which
05 What 06 Which 07 What 08 What
09 is 10 What 11 do 12 What

Practice 2

p. 48

1 01 What 02 What 03 Which 04 kind
05 Which 06 Which 07 did 08 What
09 Which 10 What 11 Which 12 What

Practice 3

p. 49

1 01 What is her name?
02 What did you eat
03 Which is your backpack
04 What are you going to do
05 Which fruit do you like
06 Which do you want to eat
07 What does he want
08 What are your friends reading
09 What is her favorite
10 Which T-shirt do you want
11 Which animal do you like
12 Which did she drink

Chapter 10 Why/Where/When

Practice 1

p. 51

1 01 Why 02 When 03 Where 04 did
05 Why 06 Why 07 Where 08 does
09 Why 10 Where 11 When 12 What

해석 및 해설

04 *yesterday가 있으므로 과거형이 와야 합니다.
08 *일반동사가 오면 do/does/did를 사용합니다.

Practice 2 p. 52

1 01 Why 02 When 03 Where 04 Where
05 Why 06 Where 07 Where 08 Where
09 When 10 Why 11 When 12 Where

해석 및 해설

01 A: 그는 왜 슬프니?
B: 그는 시험에 실패했어.

02 A: 그 경기는 언제 시작하니?
B: 오전 11시에 시작해.

03 A: 그들은 어디에 사니?
B: 그들은 캐나다에 살아.

04 A: 수지는 어제 어디에 갔니?
B: 그녀는 쇼핑몰에 갔어.

05 A: 그녀는 왜 쇼핑몰에 갔니?
B: 야채를 좀 사기를 원했어.

06 A: 그 제과점은 어디에 있니?
B: 그것은 은행 옆에 있어.

07 A: 그들은 어디에서 왔니?
B: 그들은 한국에서 왔어.

08 A: 너는 네 자동차를 어디에 주차했니?
B: 나는 주차장에 내 차를 주차했어.

09 A: 너는 언제 음악을 듣기를 원하니?
B: 나는 밤에 음악을 듣고 싶어.

10 A: 너는 왜 오늘 늦었니?
B: 나는 학교버스를 놓쳤어.

11 A: 런던행 다음 기차는 언제 오니?
B: 곧 도착할 거야.

12 A: 사라는 그 모자를 어디에서 났니?
B: 그녀의 아빠가 그녀에게 주었어.

Practice 3 p. 53

1 01 Where is the ring?
02 Why were you late for
03 Why do they learn English?
04 Where does Jane eat lunch?
05 Why did you solve
06 Where is the subway station?
07 Why do you like baseball?
08 When did he get married?
09 When is the speaking contest?
10 Why are you wearing sunglasses?
11 What time does the bus to Seoul
12 Why were you so busy

Chapter 11 Who/Whose/How

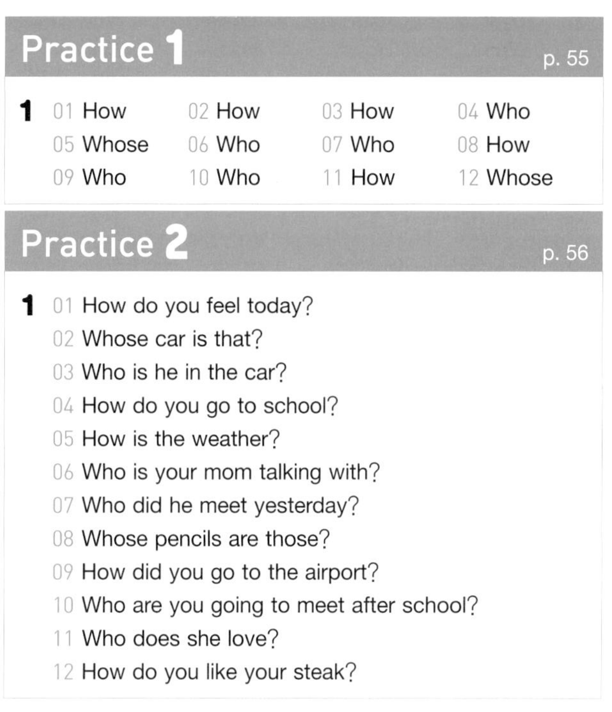

Practice 1 p. 55

1 01 How 02 How 03 How 04 Who
05 Whose 06 Who 07 Who 08 How
09 Who 10 Who 11 How 12 Whose

Practice 2 p. 56

1 01 How do you feel today?
02 Whose car is that?
03 Who is he in the car?
04 How do you go to school?
05 How is the weather?
06 Who is your mom talking with?
07 Who did he meet yesterday?
08 Whose pencils are those?
09 How did you go to the airport?
10 Who are you going to meet after school?
11 Who does she love?
12 How do you like your steak?

해석 및 해설

01 나는 좋아, 고마워.
오늘 기분이 어때? / 너는 학교에 어떻게 가니?

02 그것은 나의 엄마의 자동차야.
저것은 누구의 자동차니? / 차 안에 있는 그는 누구니?

03 그는 나의 남동생이야.
저것은 누구의 자동차니? / 차 안에 있는 그는 누구니?

04 나는 버스로 학교에 가.
너는 학교에 어떻게 가니? / 너는 누구를 좋아하니?

05 오늘은 맑아.
오늘 기분이 어때? / 날씨가 어때?

06 샘이랑 얘기하고 계셔.
누가 너의 엄마랑 얘기하고 있니? / 그녀는 누구를 좋아하니?

07 그는 제임스를 만났어.
그는 방과 후에 누구를 만나니? / 그는 어제 누구를 만났니?

08 그것들은 내 것이야.
저것들은 누구의 연필들이니? / 그 남자는 누구니?

09 나는 택시를 탔어.
너는 어떻게 공항에 갔니? / 이것은 누구의 자동차니?

10 나는 톰을 만날 거야.
너는 방과 후에 누구를 만날 거니? / 너는 어제 누구를 만났니?

11 그녀는 존을 사랑해.
그녀는 누구를 사랑했니? / 그녀는 누구를 사랑하니?

12 중간으로 해주세요.
오늘 어때? / 스테이크 어떻게 해드릴까요?

Practice 3 p. 57

1

01 Who	02 How	03 Whose	04 Who
05 Who	06 How	07 How	08 Who
09 Who	10 How	11 How	12 Who

해석 및 해설

01 A: 거실에 있는 저 여자는 누구니?
B: 그녀는 내 고모야.

02 A: 그는 어떻게 학교에 가니?
B: 그는 걸어가.

03 A: 이것은 누구의 책이니?
B: 그것은 나의 책이야.

04 A: 저기에 있는 저 사람들은 누구니?
B: 그들은 의사들이야.

05 A: 샘은 누구를 좋아하니?
B: 샘은 제니를 좋아해.

06 A: 네 부모님들은 어떠시니?
B: 잘 지내셔, 고마워.

07 A: 너는 그 문제를 어떻게 풀었니?
B: 나의 엄마가 도와주셨어.

08 A: 그는 누구와 일하니?
B: 그는 토니와 일해.

09 A: 너는 누구에게 영어를 가르치니?
B: 나는 톰과 수지에게 가르쳐.

10 A: 그들은 도서관에 어떻게 갔니?
B: 그들은 지하철을 탔어.

11 A: 오늘 날씨가 어떠니?
B: 흐려.

12 A: 그녀는 누구와 사니?
B: 그녀는 부모님과 살고 있어.

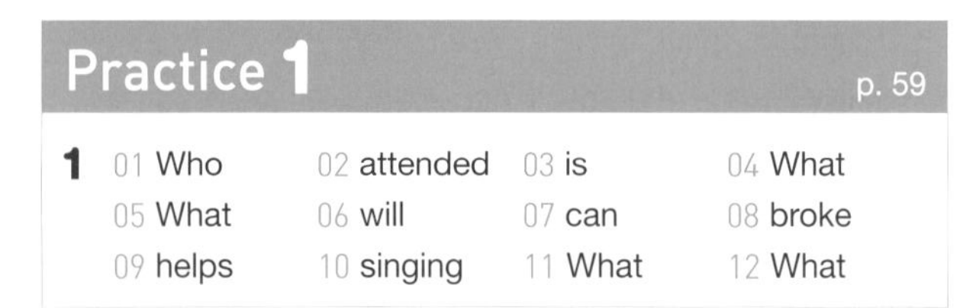

Chapter 12 Who/What 주어 역할

Practice 1 p. 59

1

01 Who	02 attended	03 is	04 What
05 What	06 will	07 can	08 broke
09 helps	10 singing	11 What	12 What

해석 및 해설

03 *의문사가 주어 역할을 할 경우 3인칭 단수 취급을 합니다.

Practice 2 p. 60

1
01 누가 내 컴퓨터를 사용했니?
02 누가 회의에 참석할 수 있니?
03 무엇이 그 상자 안에 있니?
04 누가 체육관에 있니?
05 누가 영어로 말할 수 있니?
06 누가 그 문제를 풀 거니?
07 누가 너를 파티에 초대했니?
08 누가 식당에서 너를 보았니?
09 무엇이 그를 행복하게 할 수 있니?
10 누가 지금 TV를 보고 있니?
11 누가 그 꽃들을 그녀에게 보냈니?
12 누가 생일 케이크를 만들 거니?

Practice 3 p. 61

1
01 Who went to the aquarium?
02 Who will visit the museum?
03 What took you so long?
04 Who is in the living room?
05 What can change his decision?
06 Who is talking with
07 What made him angry?
08 What can make her
09 Who found my wallet?
10 Who can take me to the station?
11 Who will drive the bus?
12 What is falling from

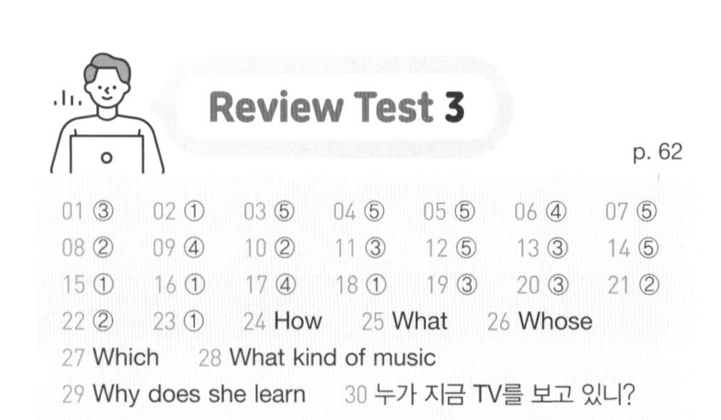

Review Test 3 p. 62

01 ③	02 ①	03 ⑤	04 ⑤	05 ⑤	06 ④	07 ⑤
08 ②	09 ④	10 ②	11 ③	12 ⑤	13 ③	14 ⑤
15 ①	16 ①	17 ④	18 ①	19 ③	20 ③	21 ②

22 ② 23 ① 24 How 25 What 26 Whose
27 Which 28 What kind of music
29 Why does she learn 30 누가 지금 TV를 보고 있니?

해석 및 해설

03 A: 너는 무슨 종류의 음식을 좋아하니?
B: 나는 피자를 좋아해.

04 B: 나는 쇼핑하러 갔어.
② 어제 뭐 읽었니?
③ 어제 뭐 샀니?
④ 어제 뭐 먹었니?
⑤ 어제 뭐했니?

05 ① 너는 언제 시장에 갔니?

② 너는 시장에서 무엇을 샀니?
③ 시장이 어디에 있니?
④ 너는 누구랑 같이 시장에 갔니?

06 A: 너는 어제 왜 늦었니?
B: 늦게 일어났어.

07 A: 너는 지금 어디에 갈 거니?
B: 나는 해변에 갈 거야.

08 A: 네 생일은 언제니?
B: 5월 15일이야.

09 너는 언제 일어났니?

10 그녀는 방에 있다.
① 네 누나는 뭐하고 있니?
② 네 누나는 어디에 있니?
③ 상자 안에 뭐가 있니?
④ 그녀는 몇 시에 일어나니?
⑤ 그녀는 어떤 종류의 음악을 좋아하니?

11 11시 30분에 시작한다.
① 네 생일은 언제니?
② 쇼핑몰은 어디에 있니?
③ 영화는 언제 시작하니?
④ 너는 어제 어디에 갔니?
⑤ 너는 무슨 종류의 음악을 좋아하니?

12 ① 제인은 뭐하니?
② 제인은 언제 점심을 먹니?
③ 제인의 점심시간은 언제니?
④ 제인은 누구와 함께 점심을 먹었니?

13 A: 그녀는 누구니?
B: 그녀는 나의 엄마야.

14 A: 이것은 누구의 자동차니?
B: 그것은 내 거야.

15 A: 오늘 어때?
B: 좋아.

16 A: 오늘 날씨가 어때?
B: 맑아.

17 ① 너는 뭐하니?
② 그는 저녁으로 무엇을 먹었니?
③ 너는 어젯밤에 뭐했니?
④ 상자 안에 무엇이 있니?
⑤ 너는 무엇을 읽고 있니?
*의문사 What이 '무엇이'로 해석되어 의문문에서 주어로 사용할 수 있습니다.

18 A: 상자에 무엇이 있니?
B: 사과가 좀 있어.

19 A: 지금 누가 노래하고 있니?
B: 마이크가 노래하고 있어.

20 A: 누가 미팅에 참석할 거니?
B: 내가 미팅에 참석할 거야.

21 ① 누가 내 컴퓨터를 쓰고 있니?
③ 너는 왜 내 컴퓨터를 썼니?
④ 너는 그 컴퓨터를 어디에서 샀니?
⑤ 이것은 누구의 컴퓨터니?

22 ① 그는 왜 슬펐니?
③ 무엇이 그를 슬프게 하고 있니?
④ 누가 그를 슬프게 할 수 있니?
⑤ 너는 왜 그를 슬프게 만들었니?

23 그것은 은행 옆에 있어.
① 빵집은 어디에 있니?
② 네 누나는 어디에 있니?
③ 누가 은행에 있니?
④ 그 은행은 몇 시에 여니?
⑤ 너는 은행에서 무엇을 했니?

24 A: 너는 학교에 어떻게 가니?
B: 나는 버스를 타고 가.

25 A: 식탁 위에 뭐가 있니?
B: 식탁 위에 빵이 좀 있어.

26 A: 이것은 누구의 가방이니?
B: 그것은 나의 엄마의 가방이야.

27 A: 너는 어느 것을 더 좋아하니, 야구 아니면 농구?
B: 나는 야구를 좋아해.

Chapter 13 동사의 쓰임

Practice 1 p. 67

1

01 ○	02 X	03 X
04 ○	05 X	06 ○
07 ○	08 ○	

Practice 2 p. 68

1

01 want	02 to the museum
03 walks	04 with his teacher
05 ordered	06 in summer
07 sitting	08 sings
09 opened	10 answered
11 attended	12 the house
13 opens	14 making
15 to school	

해석 및 해설

01 나는 물을 좀 원한다. *목적어가 필요한 동사는 want입니다.
02 그는 일요일마다 박물관에 간다.
03 내 누나는 빨리 걷는다.
04 그는 그의 선생님과 말했다.
05 그녀는 새 드레스를 주문했다.
06 기온이 여름에는 오른다.
07 소파에 누가 앉아 있니?
08 그는 노래를 잘한다.
09 그녀는 창문을 열었다.
10 앨리스는 그 질문에 대답했다.
11 그녀는 어제 회의에 참석했다.
12 학생들이 집 안으로 들어오고 있다.
13 그 박물관은 월요일부터 금요일까지 연다.
14 우리는 피자를 만들고 있다.
15 그녀는 학교에 걸어간다.

Practice 3

p. 69

1
01 그들은 강을 따라 걸었다.
02 사라는 오후에 그녀의 개를 산책시킨다.
03 이 자동차는 잘 팔린다.
04 그들은 중고 자동차를 판다.
05 그는 그의 입을 열었다.
06 그 동물원은 오전 10시에 연다.
07 내 여동생은 노래를 잘한다.
08 나의 친구들은 "Nella Fantasia"를 부를 것이다.
09 새들이 숲 속에서 노래하고 있다.
10 지구는 태양 주위를 돈다.
11 그녀는 상자를 그녀의 방으로 옮겼다.
12 톰은 그의 방으로 들어갔다.

Chapter 14 감각동사

Practice 1

p. 71

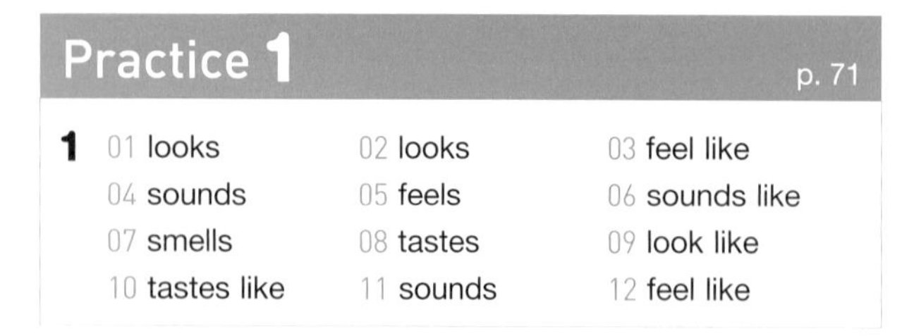

1

01 looks	02 looks	03 feel like
04 sounds	05 feels	06 sounds like
07 smells	08 tastes	09 look like
10 tastes like	11 sounds	12 feel like

해석 및 해설

01 *angry란 형용사가 있으므로 looks가 필요합니다.
03 *명사가 오므로 like를 동반한 feel like가 필요합니다.
12 *[don't feel like+-ing]는 '~하고 싶지 않다'라는 의미입니다.

Practice 2

p. 72

1

01 feels like / feels	02 sounds like / sounds
03 look / look like	04 smells / smells like
05 tastes / tastes like	06 looks like / looks
07 feel / feel like	08 look like / looks
09 smell / smell like	10 sounds like / sounds
11 tastes / tastes like	12 sounds like / sounds

해석 및 해설

01 그녀는 새가 된 느낌이다. / 그녀는 기분이 좋다.
02 그것은 천둥소리처럼 들린다. / 그것은 이상하게 들린다.
03 그 꽃들은 진짜 같다. / 그들은 쌍둥이처럼 보인다.
04 그것은 달콤한 냄새가 난다 / 그것은 생선 냄새가 난다.
05 그 수프는 짜다. / 이 빵은 커피 같은 맛이 난다.
06 그 건물은 배처럼 생겼다. / 이 가방이 저가방보다 더 커 보이다.
07 그는 행복하지 않다. / 그는 노래하고 싶지 않다.
08 너는 엄마와 닮았다. / 나의 엄마는 나이에 비해 어려 보이신다.
09 장미 냄새가 좋다. / 그것들은 장미 냄새가 난다.
10 그의 계획은 좋은 생각처럼 들린다. / 그의 계획은 흥미롭게 들린다.
11 그 사탕은 달콤하다. / 그 사탕은 수박 맛이 난다.
12 그녀의 목소리는 로봇처럼 들린다. /
그녀의 목소리는 매우 아름답게 들린다.

Practice 3

p. 73

1

01 looks	02 tastes	03 feel	04 feels like
05 look	06 taste like	07 ○	08 ○
09 sounds	10 feel like	11 feel	12 ○

Chapter 15 수여동사

Practice 1

p. 75

1

01 to	02 for
03 his wife a table	04 me his bicycle
05 to	06 to
07 me some money	08 a letter to him
09 to	10 me a cup of coffee
11 for	12 me that shirt

Practice 2 p. 76

1 01 He made a doll for her.
02 She sent a birthday card to him.
03 He showed his bag to them.
04 She teaches English to me.
05 He will write a letter to his mom.

해석 및 해설

그 소년은 내게 연필을 주었다.
01 그는 그녀에게 인형을 만들어 주었다.
02 그녀는 그에게 생일카드를 보냈다.
03 그는 그들에게 그의 가방을 보여주었다.
04 그녀는 나에게 영어를 가르친다.
05 그는 그의 엄마에게 편지를 쓸 것이다.

2 01 for 02 to 03 to
04 for 05 to

Practice 3 p. 77

1 01 He taught us history.
02 I will send her some bread.
03 She showed her photos to us.
04 Cathy wrote a birthday card to her mom.
05 Cindy made a dress for me.
06 I sent a Christmas card to her.
07 Tony bought him a birthday cake.
08 My father bought a new computer for me.
09 She cooked delicious food for us.
10 Mr. Wilson teaches science to us.
11 My mom made me some pancakes.
12 She wrote me a poem yesterday.

Chapter 16 동명사/진행형

Practice 1 p. 79

1 01 목적어 02 주어 03 목적어 04 목적어
05 보어 06 보어 07 목적어 08 목적어
09 주어 10 목적어 11 목적어 12 목적어

해석 및 해설

07 *전치사 in의 목적어 역할을 합니다.
10 *전치사 for의 목적어 역할을 합니다.
12 *전치사 at의 목적어 역할을 합니다.

Practice 2 p. 80

1 01 ○ 02 X 03 ○ 04 ○
05 X 06 ○ 07 X 08 ○
09 ○ 10 X 11 X 12 ○

Practice 3 p. 81

1 01 너는 야구하는 것을 좋아하니?
02 나는 커피를 마시고 싶지 않다.
03 그녀는 아름답게 노래하는 것으로 유명하다.
04 저를 파티에 초대해 주셔서 감사합니다.
05 그녀의 목표는 영화감독이 되는 것이다.
06 나의 일은 책을 판매하는 것이다.

2 01 She likes learning foreign languages.
02 My dream is becoming a scientist.
03 Swimming in the sea is fun.
04 She enjoys talking with her friends.
05 Lying is wrong.

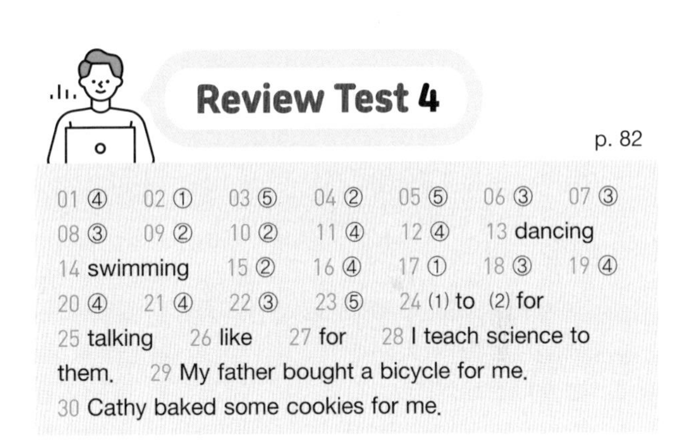

Review Test 4 p. 82

01 ④ 02 ① 03 ⑤ 04 ② 05 ⑤ 06 ③ 07 ③
08 ③ 09 ② 10 ② 11 ④ 12 ④ 13 dancing
14 swimming 15 ② 16 ④ 17 ① 18 ③ 19 ④
20 ④ 21 ④ 22 ③ 23 ⑤ 24 (1) to (2) for
25 talking 26 like 27 for 28 I teach science to them. 29 My father bought a bicycle for me.
30 Cathy baked some cookies for me.

해석 및 해설

01 ① 나는 너를 좋아한다.
② 그는 7시에 저녁을 먹었다.
③ 그녀는 피자를 좀 주문했다.
④ 그 상점은 9시에 연다.
⑤ 샐리는 방에 들어왔다.
02 ① 나는 자주 동물원에 간다.
② 그는 쿠키를 좀 만들었다.
③ 그녀는 그녀의 방을 청소했다.
④ 그녀는 치즈를 좀 원한다.
⑤ 나는 기타를 연주한다.
03 ① 그들은 어제 박물관에 갔다.
② 마이크는 공항에 도착했다.
③ 그들은 정오에 점심을 먹을 것이다.
④ 우리는 그 식당을 열었다.
*enter는 뒤에 목적어가 바로 옵니다.

04 데이비드는 노래를 잘한다.
*목적어가 필요 없는 동사가 올 수 있습니다.
05 *목적어가 있으므로 목적어가 필요한 동사가 와야 합니다.
06 그녀는 천천히 걷는다.
그녀는 그녀의 개를 산책시킨다.
11 *[don't feel like+-ing]는 '~하고 싶지 않다'라는 의미입니다.
12 ① 그 케이크는 정말 맛이 좋다.
② 이 쿠키들은 치즈 냄새가 난다.
③ 그 시계는 좋아 보인다.
⑤ 그들은 슬퍼 보인다.
*feel like 다음에는 명사가 옵니다.
13 에이미와 밥은 춤추는 것을 즐긴다.
14 나는 수영하고 싶다.
15 그는 그녀를 위해 꽃을 좀 샀다.
16 그녀는 나를 위해 쿠키를 좀 만들어 주었다.
*for를 쓰는 수여동사에는 make, buy, cook 등이 있습니다.
17 ① 나는 제인에게 그 책을 주었다.
② She gave me some cake. 그녀는 나에게 케이크를 좀 주었다.
③ He made a cake for me. 그는 나에게 케이크를 만들어 주었다.
④ I sent a letter to her. 나는 그녀에게 편지를 보냈다.
⑤ She made some delicious food for us.
그녀는 우리에게 맛있는 음식을 좀 만들어 주었다.
18 ① 그는 책 읽는 것을 좋아한다.
② 우리는 세계를 여행하는 것에 대해 얘기한다.
③ 영어를 배우는 것은 쉽지 않다.
④ 그는 축구하는 것을 좋아한다.
⑤ 빌은 그의 방에서 자고 있다.
19 ① 보는 것이 믿는 것이다.
② 가르치는 것이 그녀의 일이다.
③ 나의 취미는 우표 모으기이다.
④ 너는 무엇을 하고 있니?
⑤ 일찍 일어나는 것은 네 건강에 좋다.
*동명사와 진행형을 구분해 보세요.
20 ① 그 소년은 낚시를 즐긴다.
② 축구를 하는 것은 언제나 즐겁다.
③ 외국을 여행하는 것은 멋지다.
④ 샘은 지금 책을 읽고 있다.
⑤ 나는 크리스마스카드 쓰는 것을 마쳤다.
*동명사와 진행형을 구분해 보세요.
21 나는 영어 배우는 것에 흥미가 있다.
저를 초대해 주셔서 감사합니다.
22 *look 다음에는 형용사가 옵니다.
23 *look like 다음에는 명사가 옵니다.
24 (1) 그 소년은 그에게 공을 주었다.
(2) 우리는 그녀를 위해 케이크를 만들어 주었다.
25 나는 지금 그것에 대해 얘기하고 싶지 않다.
[28~30] 나는 그에게 편지를 보냈다.
28 나는 그들에게 과학을 가르친다.
29 나의 아버지는 나에게 자전거를 사주셨다.
30 캐시는 나에게 과자를 좀 구워 주었다.

실전모의고사 1회

01 ② 02 ⑤ 03 ② 04 ② 05 ② 06 ③ 07 ①
08 ⑤ 09 taller than / shorter than 10 ⑤ 11 ③
12 ⑤ 13 ③ 14 ⑤ 15 How 16 ② 17 ①
18 ④ 19 to, for 20 ③

해석 및 해설

04 *부가의문문은 부정문은 긍정으로 합니다.
08 *famous의 비교급은 more famous입니다.
09 샘은 에이미보다 더 키가 크다.
에이미는 샘보다 더 키가 작다.
10 그는 나라에서 가장 유명한 배우였다.
*[in+장소]가 오면 최상급으로 표현합니다.
11 너는 무슨 종류의 TV 프로그램을 좋아하니?
12 너는 어떤 색을 좋아하니, 노란색 아니면 빨간색?
13 나는 과학을 좋아한다.
① 너는 누구를 좋아하니?
② 너는 어디에 가고 싶니?
③ 너는 무슨 과목을 좋아하니?
④ 언제 수업이 시작하니?
⑤ 어느 쪽이 네 것이니?
14 그것은 내 것이다.
① 그것은 얼마니?
② 너는 어디 가고 있니?
③ 그것은 어디 있니?
④ 너는 학교에 왜 늦었니?
⑤ 이것은 누구 가방이니?
15 A: 너는 학교에 어떻게 가니?
B: 나는 지하철로 학교에 가.
*by subway로 답하고 있으므로 How로 물어야 합니다.
16 ① 나는 그녀에게 편지를 보냈다.
② 그는 피곤해 보인다.
③ 수지는 항상 아침을 먹는다.
④ 그는 매일 커피를 마신다.
⑤ 우리는 항상 너를 사랑할 것이다.
18 그 수프는 맛있는 냄새가 난다.
19 나는 내 친구들에게 내 방을 보여줬다.

엄마는 나를 위해 멋진 선물을 사주셨다.

20 ① 낚시는 많은 사람들 사이에서 인기 있다.
② 너는 축구하는 것을 잘한다.
③ 그는 지금 영어 공부를 하고 있다.
④ 산책하러 나가는 게 어때?
⑤ 내 꿈은 전 세계를 여행하는 것이다.
*③은 현재진행형이고 나머지는 동명사로 쓰였습니다.

실전모의고사 2회

01 ② 02 ① 03 ③ 04 ③ 05 ① 06 ④ 07 ③
08 ④ 09 younger 10 oldest 11 ④ 12 ③ 13 ⑤
14 ⑤ 15 Why 16 ⑤ 17 quarter, six 18 Where
19 Who 20 He bought a ring for her.

해석 및 해설

01 *분자가 하나면 분모는 단수로 읽습니다.

04 *must be는 '~임에 틀림없다'라는 의미입니다.

07 ① 너는 바쁘지 않아, 그렇지?
② 그는 여기에 왔어, 그렇지 않니?
③ 샘과 톰은 독서를 좋아해, 그렇지 않니?
④ 그는 거기 가지 않을 거야, 그렇지?
⑤ 캐시는 오늘 늦었어, 그렇지 않니?
*③은 주어가 Sam and Tom이므로 don't they?로 물어야 합니다.

08 *good의 최상급은 best입니다.

09 샘은 피터보다 더 어리다.

10 피터는 셋 중에서 가장 나이가 많다.

12 A: 네 우산을 빌려도 되니?

13 그는 보통 낚시하러 간다.
① 그는 어디에서 사니?
② 그는 어디에 가기를 원하니?
③ 그는 무엇을 하니?
④ 그는 언제 낚시하러 가니?
⑤ 그는 일요일에 무엇을 하니?

14 나는 야구를 좋아한다.
① 너는 야구를 잘하니?
② 너는 무엇을 하고 있니?
③ 너는 어디에서 야구를 했니?
④ 너는 왜 야구를 좋아하니?
⑤ 너는 무슨 운동을 좋아하니?

15 A: 너는 왜 학교에 늦었니?
B: 늦게 일어났어.

16 ① 그녀는 오늘 바빠 보인다.
② 너는 목말라 보인다.
③ 그는 피곤해 보인다.
④ 샘은 졸려 보인다.
⑤ 그는 하늘을 봤다.

18 A: 너는 지금 어디에 가고 있니?
B: 나는 제과점에 가고 있어.

19 A: 누가 지금 TV를 보고 있니?
B: 앨리스가 TV를 보고 있어?

20 나는 그녀에게 돈을 좀 줬다.
그는 그녀에게 반지를 사줬다.
*사물 목적어를 먼저 쓰면 단어에 따라 to나 for를 사람 목적어 앞에 써야 합니다.

실전모의고사 3회

01 ④ 02 ② 03 ① 04 ① 05 ③ 06 ④ 07 ④
08 (1) isn't it (2) will you (3) doesn't she 09 heavier
10 heaviest 11 ⑤ 12 ① 13 ⑤ 14 ④
15 Where 16 ② 17 ① 18 feel like
19 three-fifths 20 May[Can]

해석 및 해설

01 *five to one은 1시 5분 전으로 12시 55분을 말합니다.

06 *[would like to+동사원형]은 소망을 의미하는 표현으로 '~하고 싶다', '~했으면 좋겠다'라는 뜻입니다.

08 (1) 오늘 매우 따뜻하다, 그렇지 않니?
(2) 창문을 열어라, 그래 줄래?
(3) 그녀는 매일 영어 공부를 한다, 그렇지 않니?

09 피터는 데이비드보다 더 무겁다.

10 샘은 셋 중에서 가장 무겁다.

11 A: 너는 어제 무엇을 했니?
B: 나는 삼촌을 방문했어.

12 나는 고전음악을 좋아한다.
① 너는 무슨 종류의 음악을 좋아하니?
② 너는 일요일에 무엇을 하니?
③ 너는 무슨 종류의 과일을 좋아하니?
④ 네가 좋아하는 과목은 뭐니?
⑤ 언제가 네 생일이니?

13 그는 영어 선생님이다.
① 너는 영어를 잘하니?
② 그는 무엇을 하고 있니?
③ 너는 왜 영어를 배우니?
④ 너에게 누가 영어를 가르치니?
⑤ 네 아버지는 무엇을 하시니(직업이 뭐니)?

14 ① 너는 무엇을 하고 있니?
② 네가 좋아하는 음식은 뭐니?

③ 그는 왜 시장에 갔니?
④ 누가 지금 방을 청소하고 있니?
⑤ 어젯밤에 너는 어디에 갔니?

15 A: 그는 어디에서 사니?
B: 그는 서울에 살아.

16 ① 그는 행복해 보인다.
③ 이모는 나에게 예쁜 인형을 만들어 주셨다.
④ 이것은 치즈 냄새가 난다.
⑤ 저 자동차는 비싸 보인다.
*make, buy, cook 같은 동사에는 for를 씁니다.

17 ① 그는 테니스 치는 것을 즐긴다.
② 그녀는 아들에 대해 걱정하고 있다.
③ 그것은 재미있다.
④ 그녀는 그녀의 눈을 검사하고 있다.
⑤ 그는 피자를 만들고 있다.

20 A: 네 전화를 써도 되니?
B: 물론.

memo

memo

WORKBOOK & ANSWERS

Inkbooks
www.inkbooks.co.kr
구매문의 02) 455 962